エンタメ小説家の失敗学

「売れなければ終わり」の修羅の道

平山瑞穂

光文社新書

はじめに

〝作家志望〟が減らない謎

出版不況が叫ばれはじめて久しい。市場規模で見ると、過去二〇年以上にわたって減少が続き、ピーク時である一九九六年と比較して四割減にも達しているとのデータもある。映像なども含めたコンテンツ産業の多角化に伴い、いわゆる活字離れはもはや否定しようのない段階に達していると言っていいだろう。

それでもなぜか、「小説家になりたい」という人はあとを絶たない。

年々、インターネットを媒体としたものも含めた無数の新人賞の公募に応じるなどの形で、多くの人が作家デビューを果たそうとしのぎを削っている。これだけ小説というものが読まれなくなってきている中、その担い手になろうとする人だけはいっこうに減らないのはなぜなのか。僕にとっては、それが積年の謎のひとつになっている。

それというのも、僕自身が、まさにその出版不況の煽《あお》りをもろに受けた当事者の一人でもあるからだ。

僕は小説家であり、二〇〇四年、『ラス・マンチャス通信』で日本ファンタジーノベル大賞を受賞することでデビューしてから一八年強にわたって、評論も含めれば二九の作品（二七の長篇と、短篇集が二つ）を世に問うてきた。発表した作品の数として、決して少ないほうではないと思う。それも、新潮社、小学館、ＫＡＤＯＫＡＷＡ、早川書房、幻冬舎、中央公論新社、文藝春秋など、ほとんどはよく知られた、大手から中堅どころの出版社を版元としている。そこだけに目を向ければ、順調に作家としての階梯《かいてい》を辿《たど》ってきたように見えるかもしれない。

しかし実のところ、その道のりは悪戦苦闘の連続だった。大手を振って「売れた」と言える本は、一冊かせいぜい二冊しかない。それ以外はことごとく初版止まりで、注目されることもなく、おびただしい刊行物の織りなす大海の藻屑《もくず》として消えていった。

毎回、「今度こそ」という思いを込めて、あの手この手で作品にさまざまな趣向を盛り込んでいったが、どれもこれも不発に終わった。そして過去数年に至っては、自分名義の本を出版すること自体がきわめてむずかしくなっている。最近は、本業では食っていけず、ライター業に身をやつしてどうにか糊口《ここう》をしのいでいるありさまだ。

そんな艱難辛苦《かんなんしんく》を味わわせられているこの世界に、彼らはいったい、何を好き好んで飛び込んでこようとしているのか――小説家になろうとしている人々を見ると、ついそんな気持ちにさせられてしまうのである。

恐怖のＰＯＳデータ

この本を手に取られた方は、「小説家になりたい」と思っている人である確率が高いと思う。そういう人に対していきなり手厳しいことを言うようだが、小説家としてやっていくことは、そうたやすいことではない。その点は、最初にはっきりさせておく必要がある。

もちろん、作家としてデビューできたこと自体は、またとない幸運だったと今でも思っている。新人賞などを受賞して自分の本を出せる立場になれるのは、ごくひと握りの人にすぎない。それで自分の好きなことを仕事にしてやっていけるなら、言うことなしだ。僕自身が、デビューした当時はそう思っていた。

新人賞への応募を始めてからデビューできるまで、僕は一三年かかっている。それ自体、絶えざる忍耐力と意志の力が必要とされるつらい日々だったが、いざデビューが決まったとき、これですべてが報われると感じた。デビューさえできればこっちのものだと思っていた。自分には才能があると信じていたし、書きたい題材に事欠くことはないと踏んでいたからだ。

しかし現実は、そう甘いものではなかった。僕は今もって自分の才能を信じているし、「こういうものが書きたい」というネタに困ることもない。しかし、いくら本人に新作を書ける条件が揃《そろ》っていても、出版社に書かせてもらえなければ、それはなんの役にも立たないのだ。「書かせてもらえない」というのは、「企画として通してもらえない」ということだ。

初版止まりが続き、「売れなかった」というデータが蓄積されていくと、作品のよしあし以前に、「この作家の作品は（どうせ売れないから）書籍化できない」という判断が下されるようになる。そうなるともはや、次の作品を刊行できる望みはあらかた絶たれてしまう。

それは、実際に自分の本を出版してもらった実績のある特定の版元に限定される話ではない。紀伊國屋書店が提供する「パブライン」をはじめ、書店での実売数のわかるＰＯＳデータなどを参照することで、その著者が過去に出した本がどれくらい売れているか（あるいは売れていないか）は、他社の社員であってもあらかた把握することができてしまう。その数字が軒並み悪ければ、よほどの特例的な事情でもないかぎり、そんな著者の新刊をあえて刊行しようとする出版社は、少なくとも大手の中には見つからないだろう。小説の書き手は、そういう流儀で切り捨てられていくのだ。

文庫化の壁

小説家としての僕は現在、かぎりなくそれに近い状況にある。大きな利ざやは求めず、初版部数も限界まで絞り込んで勝負をかけているような小さな出版社から、いわばインディーズ的に、わずかな初版部数で小説を発表することは今後も続けていくつもりだが、名の知られた大手出版社などから新作を出すことについては、現時点でほぼ絶望視している。

一〇年前、あるいはさらに遡《さかのぼ》ってデビュー直後くらいの時期は、もう少し業界も鷹揚《おうよう》だったと思う。それまでのところ売れた作品が存在しなくても、雑誌での連載を持つことができ、三、四本かけ持ちしている時期もあったし、前作の売れ行きが振るわなかったとしても、なお一作、二作は様子を見てもらえた。また、単行本が売れなくても、数年後にはほぼ自動的に文庫化してもらえた（文庫化というのは、単行本としてすでに存在している作品の、書籍としての形態が変わるだけで印税が入ってくるというものなので、その印税はいわば不労所得に当たる）。

そうすれば、すべてが初版止まりだったとしても、連載時の原稿料、単行本の印税、そして文庫の印税（あとは、パーセンテージとしては小さいながら、電子書籍化後の印税）とかき集めることでそこそこの収入にはなり、とりたてて贅沢はできないにしても、暮らしていくのに困ることはなかった。

しかし二〇一〇年代に入ったあたりから、リスクを負うまいとする業界の引き締め姿勢は目に見えて鮮明になっていった。まず、連載を持たせてもらえなくなり、次に文庫化があたりまえのことではなくなった。単行本として売れなければ、文庫化もしてもらえなくなっていったのだ。それでもしばらくは、書き下ろしならかろうじて単行本を出すことができたものの、初版部数は減らされていった。そしてついに、企画そのものが通らなくなった。

僕が直面させられたこうした苦難の数々が、出版不況の深刻化と無関係であったとは決して言えないだろう。そういう意味で、僕は出版不況というものの厳しさを、肌で感じつづけてきた人間の一人だと言うことができる。同じ時期に小説家として活動してきた多くの人々が、おそらく多かれ少なかれ、似たような形で煮え湯を飲まされてきたのではないかと思っている。

ただ一方では、そうした魔の手を逃れて売れつづけ、成功に次ぐ成功を積み上げている作家もいる。その違いは、いったいどこにあるのだろうか。

失敗からこそ学べること

実際に売れたという実績をほとんど持たない人間が何を言っても説得力はないかもしれないが、正直な気持ちを言わせてもらえるなら、売れている作家の作品と自分の作品とを比べてみて、自分の作品にあからさまに遜色《そんしょく》があると感じたことはない。少なくともある時期までは、ネームバリューのある出版社から引きも切らず執筆依頼が来ていたという事実からしても、それはある程度まで立証されているのではないかと思う。

にもかかわらず、現在の僕は小説家として底辺の境遇に置かれている。それはすなわち、僕がデビューしてから現在に至るまでのいずれかの段階で、なんらかの面で失敗していた、ということを意味するのではないだろうか。

それは、単一のポイントに特定できるようなものではないかもしれない。幾度かにわたって僕はまちがいつづけ、いつしか引き返すことができない地点にまで到達してしまっていたのかもしれない。いずれにせよ、「もしあのとき、こうしていなかったら……」というい くつかの節目が、これまでの作家生活の中に折々に存在していたのではないかという感覚が拭《ぬぐ》えないのだ。

成功にせよ、失敗にせよ、事後にその理由を特定しようとする営為には、必ずどこかしらあと出しジャンケン的な色合いがつきまとってしまうものである。「勝てば官軍」という言葉があるが、逆もまた真なりで、「負ければ賊軍」なのだ。

「この本が売れなかったのは、ここがよくなかったからだ」というのは、事実としてその本が売れなかったという結果が見えているからこそ言えることだ。たとえば、あるえげつない内容の小説が売れたとすれば、「えげつない方向に針を振り切ったいさぎよさが逆説的に支持されたのだ」と人は解釈するかもしれない。しかしその同じ本が売れなかったとしたら、人はなんの疑問も抱かずに、「あんなえげつない話が売れるはずはなかった」という説明で満足するだろう。

あとづけで理由を云々《うんぬん》することに伴うそうしたうさんくささは、承知の上だ。それでも、小説家としてこうして追いつめられていく中で、「ここがいけなかったのではないか」という悔悟に苛《さいな》まれる瞬間がしばしばあることは否定できない。許されるものなら、そのときまで時間を巻き戻したいと思うほどだ。しかしある時期から僕は、それをただ一個人の悔恨として終わらせてしまうのはもったいないのではないか、と思うようになった。

失敗からこそ学べることが多いのは、すでにさまざまな分野で立証されていると思う。しかし、職業作家として小説を書くことに関しては、僕が知るかぎり、そういう切り口で論じた本などをこれまでに見かけた記憶はない。

小説家としては、僕はぶざまな失敗をしたとしか言いようがないが、その失敗の原因となったと思われる事例をつまびらかにすることによって、それを「小説家になりたい」と思う人々にとって役に立つ助言に転じることはできないだろうか。せめてそれくらいの有用性を付与しないことには、僕が翻弄されてきた七転八倒の数々が浮かばれないとも思うのだ。

「売れなければ終わり」の世界

小説家としての僕が経験してきたことは、あくまで平山瑞穂という一小説家をめぐって起きた個別具体的な事例にすぎない。しかしその中には、「こうなってはいけない」という意味での普遍的な要素が、必ず含まれているはずだ。それを一度思い切って、洗いざらい検証してみることに、意味がないとは思えない。

それを果たすために、これまでに発表してきたさまざまな作品を例に取りながら、「自分はここで失敗した」と思われる事例を、ひとつずつあげつらってみることにした。そしてその理由をできるだけ明確にするために、個々の作品の成立過程や、担当編集者との間で交わされたやりとりなども含めて、周辺事情をこの際、赤裸々に明かそうと思い立った。

この本を書く僕の中には、出版不況が不可逆的に進む中、あえて小説家になろうとする人々に対して、「本当にその道を選んでもいいの？」と釘を刺したい気持ちもある。しかしそれ以上に、いざ作家デビューできるとなってから、どれだけの困難が待ち受けているのか、それをどうすれば克服できるのか、その方策をいささかなりとも示すことで、路頭に迷わないよう指南したいという思いのほうが強い。ぜひ僕の数々の失敗談を参考に、同じ轍《てつ》を踏まないようにしていただきたい。

なお、ひとつだけ注意しておきたいことがある。この本は、あくまで「エンタメ小説家の」失敗学を語ったものである。僕自身は、二〇〇四年のデビュー以来、一貫してエンターテインメント系小説の分野で活動してきた。したがって、僕が経験してきたことは、（その失敗も含めて）すべてエンタメ小説という分野内のロジックや慣例に沿ったものだ。

同じ小説でも、純文学はまた様相がだいぶ異なる。純文学の場合、「売れるかどうか」というのは必ずしも第一義的な問題ではなく、たとえ売れなくても、文学的に価値が高いと評価されれば、本を出しつづけることができる場合もある。しかしエンタメ文芸の世界は、その点に関しては驚くほどドライかつシビアだ。売れなければ、瞬く間に見切りをつけられる。ライトノベルなども、その点は同様だろう。

それを踏まえた上で、以下の章に目を通してもらいたい。なお、わざわざ章を設けるほどではない失敗の事例や、僕が失敗を重ねていく中で見えてきた、文芸出版というこの業界の持つ特異な側面などについては、コラムという形で適宜、補足していくことになる。それも併せて参照してほしい。

いずれにせよ、いささか自虐的にならざるをえないこの告白が、「小説家になりたい」という人をはじめとして、少しでも多くの人のお役に立つならさいわいである。

エンタメ小説家の失敗学

目次

第1章——入口をまちがえてはならない

すべては日本ファンタジーノベル大賞から始まった

「はじめに」で述べたとおり、僕の小説家としてのキャリアは、二〇〇四年、『ラス・マンチャス通信』で第16回日本ファンタジーノベル大賞を受賞したことに始まる。しかし思えば、僕はこの最初の一歩からしてまちがえていたのではないか、と疑われる節がある。少なくとも、作家デビューを果たすこの入口の陰に身を潜めていたミスマッチが、のちのちまで禍根《かこん》を残すことになったのではないかと思えてならないのだ。

その前に、結果として僕を世に放つことになったこの「日本ファンタジーノベル大賞」という文学賞について、ひととおりの解説を施しておく必要があるだろう。

創設は一九八九年、読売新聞社と三井不動産販売（のちに清水建設）が主催し、作品の選考から受賞作の刊行にまで至る実務に関しては、「後援」として新潮社が担うという、ややわかりにくい構図のもとに成立していた公募型の文学賞である。創設時は、一般企業が資金などを提供して文化・芸術活動を支援するという「メセナ」が花開いていた時期に当たる。一見、文芸には縁遠く思える企業が主催に名を連ねているのは、そういう背景によるものだ。

「ファンタジー」とはいっても、この賞が標榜《ひょうぼう》していたのは、いわゆる「剣と魔法」「龍退治と姫の救出」といった、古典的ジャンルとしてのそれではなかった。歴代の選考委員が、

「これまで読んだことがないような風変わりさ」を求め、それを高く評価したこともあって、受賞作にはひと筋縄ではいかないような奇作・怪作が並ぶことになった。

作家としては、ＳＦ寄りの佐藤亜紀、北野勇作、池上《いけがみ》永一《えいいち》などを輩出する一方、のちに『リング』シリーズで世界的名声を獲得する鈴木光司、畠中恵、森見登美彦、二〇二一年に直木賞を受賞したことが記憶に新しい西條《さいじょう》奈《な》加《か》など、多彩な顔ぶれの出身母体となっている。応募条件として「プロ・アマを問わない」とされているが、実際には、僕自身がそうであったように、この賞の受賞がデビューに結びついたという意味で、「新人賞」として機能するケースが多いようだ。

余談ながら、その後人気作家として不動の地位を占めるに至る恩《おん》田《だ》陸《りく》も、広義でのこの賞の出身者である。受賞には至らなかったものの、最終選考には複数回残り、このまま埋もれさせるには惜しいという選考委員の推しもあって、受賞しないまま作品（『六番目の小夜子』）が刊行され、デビューに至ったのである。

ただし、バブル経済による潤沢な資金を背景としていたメセナも今は昔、創設時と同じ形での運営を続けることは次第にむずかしくなり、二〇一三年度の第25回をもって、この賞はいったん休止している。

その後、二〇一七年に、一般財団法人新潮文芸振興会主催、読売新聞社後援という形でリニューアルスタートし、賞としての基本理念は継承されているが、複雑な事情から、「第26回」以降の回数を引き継ぐことはできず、現在は「日本ファンタジーノベル大賞２０２０」「日本ファンタジーノベル大賞２０２１」と、年度ごとに看板をすげ替えることで存続している。

厳密には、この賞には下位分類として「大賞」と「優秀賞」があり、僕は二〇〇四年度の「大賞」だった。ちなみに同じ年度の「優秀賞」を獲得したのは、原作も映画も大ヒットとなった『陽だまりの彼女』や、最近やはり映画化されて話題になった『いとみち』を手がけた越谷《こしがや》オサムである。

そのように、この賞の出身者がその後、世間に広く認知されるめざましい活躍をするケースもざらにあり、受賞した当時は、いずれ自分もそこに顔を連ねることになるはずだと意気込んでいた。受賞作である『ラス・マンチャス通信』についても、同じくこの賞の出身者でありながら、僕が応募した際には選考委員の一人になっていた鈴木光司から、「選考委員になって、いちばん面白かった作品」との絶賛を頂戴していたほどだったのだ。

しかしそもそも、僕はなぜ、数ある公募型の文学賞の中から、この「日本ファンタジーノベル大賞」を、デビューへの入口として選んだのか。本章のテーマにつなげるためには、少々時間を遡って、そこから語らなければならない。

実は純文学志望だった

「はじめに」に書いたとおり、僕ははっきりと作家を目指しはじめてから作家デビューできるまでに、実に一三年もの月日を費やしている。

小説家になりたいという志向はもともとあって、高校生の頃から散発的に執筆を試みてはいたのだが、作家デビューを目指そうと本気で思い立ったのは、大学を卒業して一般企業に就職してからだった。実際にサラリーマンになることで、それがいかに自分に向いていないかを思い知らされ、かくなる上は作家になるよりほかにないとあらためて思い定めたのである（そのわりに、結果としてその後、兼業時代も含めて足かけ二〇年もサラリーマンを続けることになってしまったのだが）。

もちろん、本気で作家を目指すと決めた以上、ただ漠然とその夢を追ってちまちまと原稿を書いては捨てていたわけではない。僕は雑誌『公募ガイド』などで各賞の募集に関する情報をチェックしながら、さまざまな新人文学賞に実に勤勉に作品を応募しつづけた。ただし、その時期の大部分、僕が応募する賞は、いくつかの特定の賞に限られていた。

　それは、群像新人賞、文學界新人賞、新潮新人賞、そして文藝賞——すなわち、『群像』（講談社）、『文學界』（文藝春秋）、『新潮』（新潮社）、『文藝』（河出書房新社）という四つの文芸誌が主催している新人賞である。こうした文学新人賞に心得のある人ならわかると思うが、この四つはいずれも、「純文学」をメルクマールとする文芸誌だ。つまり僕は、あくまで「純文学作家」としてデビューすることを目標としていたのだ。

　そもそも、「純文学」と「エンターテインメント文芸」とは、どこがどう違うのか。それをひとことで説明するのはむずかしい。かつてなら、「純文学vs.大衆文芸」というわかりやすい対立軸が存在したが（たとえば「川端康成vs.吉川英治」）、現在はその区分がきわめてあいまいになっている。

　その違いについて説明を求められた際には、僕はなかばたわむれに、「明瞭な起承転結があるのがエンタメで、オチがないのが純文学」とか、「作中で〝何が起きたか〟に関心を持つのがエンタメで、なにかが起きたとして、それが〝いかに起きたか〟に着目するのが純文学」などと定義してみることもあるのだが、いずれもそれだけですべてを説明し尽くせるものではない。

ましてや現代では、純文学出身でありながらときにエンタメ的な手法もこともなげに駆使《くし》する吉田修一、逆にエンタメ出身でありながらしばしば純文学的な側面をちらつかせることもある湊《みなと》かなえや桜庭一樹など、越境的な活躍をする作家もめずらしくなくなっている。

読む側としては、それが純文学なのかエンタメなのかなど、意識していない場合が多いだろう。それをいうなら、（これは僕が他の著作でも言っていることなのだが）新作が出るごとに何十万部、何百万部と売れる村上春樹が、本質的には純文学の人であるということを、いったい何割の読者が正しく認識しているだろうか。

そういう意味でも、「純文学かエンタメか」という問いには、もはや実質的な意味がなくなっているように僕には思える。それでもなおその区分は、読者の思惑や受けとめ方とは無縁な形で、少なくとも業界では、確固たる拘束力を保持しつづけているのである。講談社や新潮社などの文芸大手において、純文学系の作家を担当するかエンタメ系の作家を担当するかで、編集部自体が別に設けられていることを見ても、それはわかる。

この点は非常に重要なので、頭の片隅で意識しながら続きを読んでほしい。

文学賞に落選しまくる日々

さて、そうして僕が純文学系の新人文学賞に応募していった結果がどうだったかというと、「三歩進んで二歩下がる」という按配《あんばい》だった。当時僕は、年に一度作品が募集される右記四つの文学賞に、ほぼ毎回、なにかしらの作品を応募していたが、まるで歯が立たないというわけでもなく、三回に一回くらいの頻度で、「一次予選通過作品」のリストに名前が載った。トータルでは、各賞合わせて八回ほどは一次予選を通過していたはずだ。

一次でも予選を通過すれば、「もうひと押し」と思うのが人情である。次は二次選考に、できれば最終選考に残りたいと思って、僕はますます発奮した。しかしある時期以降、僕の応募作品は、なぜか一次予選にすら通らなくなっていった。

理由はわからない。もちろん、単純に作品がその水準に達していなかったということもありうる。しかし僕は、何年間もたゆまず書きつづけていたし、応募した作品が落選すれば、その都度、「どこがいけなかったのか」と真摯《しんし》に向き合い、その反省を次作にフィードバックすることを怠らずにいた。その後、結果として実際に作家デビューできたことに鑑《かんが》みても、僕の作品のレベルは着々と上向いていたのではないかと思う。

それでも箸《はし》にも棒にもかからなくなってしまったのは、なぜなのか。これはもちろん臆測だが、「平山瑞穂」の名が、応募作品の下読みスタッフの間で、悪い意味で知られてしまっていたことが災いしたのではないかと思っている。同じ賞にくりかえし応募しては弾かれることで、「またこいつか」と無条件によからぬ烙印《らくいん》を捺《お》され、まともに最後まで読まれることすらなく、「落選」の箱に投じられてしまっていたのではないかと。

一次予選にも通らない状態が何年か続く間に、このままでは永遠に活路を見出せないのではないかという焦燥に駆られていった僕は、『公募ガイド』で、それまでは一顧だにせずにいたエンタメ系の賞の情報にも目を通すようになった。自分はもしかしたら、なにかを根本的に見誤っていたのかもしれない。自分は純文学の書き手なのだと思い込んでいたが、実はそれとは異なるプラットフォームにこそ、自分の作品を受け入れてくれる余地があるのではないか――。

そうしてミステリーやホラーなどのいわゆる「ジャンル小説」を募る新人賞も射程に入れていった中、浮上してきたもののひとつが、「日本ファンタジーノベル大賞」だったのだ。

ただし、結果としてこの賞の公募に自作を投入したいきさつは、きわめて場当たり的なものだった。

当時、連作として書いていた小説群があった。いずれも四〇〇字詰め原稿用紙換算で一〇

○枚程度の短篇として書かれたもので、全部で五篇あり、うち二つは、独立した短篇小説として、新潮新人賞や文學界新人賞で一次予選を通過したことすらある作品だったのだが、五篇合わせると五〇〇枚弱になった。そして、日本ファンタジーノベル大賞の募集要項には、原稿の制限枚数として「三〇〇枚以上五〇〇枚まで」とあった。

僕が応募先としてこの賞を選んだ理由は、実のところ、そこにしかなかった。この賞の過去の受賞作も、その時点では一作くらいしか読んでいなかったのだが、僕の連作も、作中で非現実的なできごとが起きたりすることから、「ファンタジー」と言えなくもないだろう、という程度の見立てだった。短篇の連作でも、世界観は共有しているので、「ひとつの長篇」に仕立てることは容易だった。当時は落選に次ぐ落選という憂き目を目《ま》の当たりにしているさなかのことで、もはややぶれかぶれな気持ちになっていたのである。

この賞の関係者が、まさに僕がこの作品の中で依拠していたような、一風変わった非現実性をこそ歓迎する姿勢で選考に臨んでいたということを僕が知るのは、受賞してからのことである。

皮肉としか言いようのない事態だろう。全身全霊を込めて、拒まれても拒まれても応募をくりかえした純文学系の新人賞で見向きもされなくなっていた僕の作品が、ありものをつなぎ合わせることでいわば片手間に応募した賞において、最高の評価を受ける結果となったのだ。こんなことなら、もっと早い段階で、自分の作風に照らして応募先が適切ではなかったことに気づいておくべきだった――僕がそう感じたのも道理だと、あらかたの人は思ってくれるのではないだろうか。

『ラス・マンチャス通信』

では、その『ラス・マンチャス通信』とは、いったいどんな小説だったのか。これがまた、（われながら）ひとことではとても説明できない珍妙きわまりない作品なのだ。

語り手〈僕〉は、同じ家に住む〈アレ〉なる存在（人間なのかどうかすらさだかでないように描かれているが、実際には〈僕〉の、なんらかの障害を負った兄と考えていい）が姉を犯そうとしたことに逆上して殴り殺してしまう。その結果、得体の知れない更生施設に送られたことから、〈僕〉の人生は数奇な方向へとねじ曲がっていき、家族と離ればなれになった身として、始終火山灰が降り積もりつづける町で働きながら、人を襲って生き血を吸う怪異な生き物と対峙《たいじ》する羽目に陥ったり、投資詐欺の片棒を担がされている中で、不幸な身の上となっていた姉と再会したりする。そんな流浪生活の果てに辿りついた山荘で〈僕〉が見たものは――。

自分で書いておきながら、なんて「あらすじ」をまとめにくい物語なのだろうとあきれてしまうが、これを読むだけでも、いかに風変わりな作品であったかはわかっていただけるだろう。

ただしこうした非現実性は、純文学作品にもざらに見られるものだ。作品の主題に照らして、それが描かれる必然性さえあれば、現実には起こりえないできごとを描写することも許容するのが、純文学の特徴のひとつであると言ってもいい。だからこそ、僕も当初はそれを（独立した短篇という形ではあっても）純文学系の新人賞に応募し、一部は一次予選を通過していたわけだ。

しかし日本ファンタジーノベル大賞では、その非現実性は、別の文脈で解釈され、受け取られた。それは、（文字どおりの「剣と魔法」的な「ファンタジー」ではないにしても）あくまでエンタメ小説を彩る要素のひとつとして評価されたのだ。

そのことは、受賞後、書籍化されるまでの間に、新潮社の担当編集者から求められた課題を見るだけでもはっきりしていた。担当編集者は、こう言ったのだ。

「作中に現れるいくつかの重要な要素が、決着がつかないまま宙づりになっています。このままでは、読者は納得しません。必ずしもわかりやすいオチをつけろというわけではありませんが、書籍化に当たって、結末部分に当たる第五章を丸々書き改めてください」

僕にこのミッションを告げた編集者は、Ｚさんという女性だった。僕にとっては初めて自分につけられた担当編集者だったわけだが、彼女にとっても、僕は「初めてデビュー時点から担当することになった作家さん」だったらしい。非常に優秀な人であり、しばらくして早々に編集長に昇進してしまい、その後は他の部署の編集長に転任してしまったのだが、僕は今でも、初めて経験する担当編集者がこの人であったことは得がたい僥倖《ぎょうこう》だったと思っている。この人から学んだことは数知れない。彼女については今後もなにかと引き合いに出すことになるので、あえて「Ｚさん」と名前を特定しておく。

「エンタメの流儀」に沿って改稿

問題は、そのＺさんに出会い頭に突きつけられた課題だった。受賞に至った応募原稿は、もともと短篇の（しかも純文学のつもりの）連作だったこともあり、物語上の帰着点が明瞭に示されるような形にはなっていなかった。ひとつの物語としての起承転結など、僕にとっては第二義的なものにすぎず、重要なのはその中で何を描くかだと思っていたのだ。

しかし、日本ファンタジーノベル大賞は、エンタメ文芸における登竜門のひとつにほかならない。その名を冠して本にする以上、「エンタメの流儀」に沿って改稿することは、避けられない流れだった。選考委員も何人かは、この作品に「一本通った筋」が欠けていることを欠点として指摘していた。

そんなわけで僕は、与えられた一ヶ月にも満たない期間をフルに活用して、応募原稿における最終章をそっくり削除し、物語になんらかの決着がつく形で一から書き改める作業に身を投じることになった。結末に至るまでの流れについても、適宜に伏線を張ったり、結末部分をよりドラマティックに盛り上げるための要素をあらたに投入したりしなければならなかった。

まだサラリーマンと兼業の状態だったため、改稿の時間を工面して締め切りに間に合わせるのは難儀を極めた。折しも八月だったこともあり、僕は職場で支給される三日間の夏季休暇を一日ずつに振り分けて土日につなげ、人為的に三連休を三回設けることで、そして夏のレジャーもいっさい返上して休日をすべてそれに充てることで、どうにかこの課題をこなした。受賞するなりいきなり突きつけられた「締め切り」に追われ、おちおち安眠もできずにいたことを覚えている。

こうして『ラス・マンチャス通信』は、その年の暮れには単行本として新潮社から刊行される運びとなった。日本ファンタジーノベル大賞は、一部の読書家からは「稀有《けう》な才能の宝庫」として評価されてもいるので、次は何が出てくるか、と毎回の受賞作を楽しみに待ち受けている人も、一定数はいる。『ラス・マンチャス通信』も、一定の注目を浴びたとは思う。「こんな小説は今まで読んだことがない」「マジック・リアリズムの極致」など、惜しみない喝采《かっさい》を贈ってくれる読者もいた。

しかし結果として、この本のセールスは振るわなかった。おそらく、エンタメ文芸としてはオフビートすぎて、何よりも「わかりやすさ」を重んじる主流派の一般読者には受け入れられなかったのだろう。

「なぜこの本が一〇〇万部も売れるのか」

当時の日本ファンタジーノベル大賞における「大賞」の賞金は五〇〇万円、本が売れなくても見返りとしては十分すぎるほどだったが（単行本の印税として同じ額を手に入れようと思ったら、軽く三万部ほどは売れなければならない。それは、並大抵のことではない）、問題は、そのあとにどうつなげるのかということだった。

もしも『ラス・マンチャス通信』が、大ヒットとは言わないまでも、せめて何度か重版がかかるなどしていれば、作家としての僕がその後辿った道は、だいぶ違ったものになっていたかもしれない。しかし、現実には売れなかった以上、新潮社としては、別の方向性で僕をプロモーションしていくという道筋を取らないわけにはいかなかった。

そこで途方に暮れたのは僕だ。それまでは読むにも書くにもほぼ純文学一本槍《やり》で、エンタメ文芸の領域では何がよしとされているのかなど、まるでわかっていなかった。だが現実問題として、僕はエンタメ文芸を旗印とするプラットフォームのひとつである、日本ファンタジーノベル大賞という入口から作家デビューを果たしてしまったのだ。僕を担当する新潮社の部署も、先述のとおり、エンタメ文芸を専門のフィールドとする編集部だった。好むと好まざるとにかかわらず、その世界の流儀に則ってやっていくしかない。

その後何年かの間、勝手のわからないエンタメ文芸の「文法」を習得するために、僕はエンタメ分野で「売れている」本を、片端から読み漁った。東野圭吾、桐野夏生《きりのなつお》、三浦しをん、今野敏《こんのびん》、角田光代、海堂尊《かいどうたける》、伊坂幸太郎、桂望実、熊谷達也、江國香織、乾《いぬい》くるみ、森絵《もりえ》都《と》、有川浩《ありかわひろ》（現・有川ひろ）、道尾秀介……。人生において、あれほどの勢いで同時代の小説作品を「濫読」したのは、この時期が最初で最後だった気がする。エンタメ文芸の「要領がわかっていない」ことについて、それほどまでに焦りを感じていたのだ。

　ピンとくるものもあれば、どうにも腑《ふ》に落ちないものもあった。「なぜこの作品が本屋大賞なのだろう」「なぜこの本が一〇〇万部も売れるのか」と心底首を傾げてしまうものも、中にはあった（具体的にどれとは言わないが）。それでも濫読の成果はあって、やがて僕は、エンタメ文芸に求められているものを、あらかたは把捉《はそく》することができたと思う。

ジャンル小説という概念

　そうして学んだことの中で、僕にとってある意味で最も受け入れがたかったのは、こういうことだ。――エンタメ文芸においては、作品は必ずなんらかのジャンルに属さなければならず、そして作品は、それぞれのジャンルごとに内在するルールに否応なく縛られることになる。

　あたりまえのことのように見えるかもしれないが、それまでジャンル小説というものに一片の興味も抱かずに背を向けていた僕には、そんな基本的なことすらわかっていなかったのである。

　ジャンルとは、ミステリーなのかホラーなのか、恋愛小説、あるいは歴史小説なのか、S

Fなのかファンタジーなのか、といった区分のことだ。そして、「それぞれのジャンルに内在するルール」とは、たとえばミステリーなら、作中で必ずなんらかの「謎」が提示されなければならず、その「謎」を解くことこそが作品の主要なモチーフになる、といったことを指す。

それまでの僕にとっては、小説のジャンル分けなどなんの意味も持たなかった。この世には、「おもしろい小説とそうでない小説」の二種類しかないと思っていた（このことは、第7章で詳述する拙作『ルドヴィカがいる』の中で、小説家である語り手・伊豆浜《いずはま》の口に語らせていることでもある）。そして読者に「おもしろい」と思わせることさえできれば、その小説は成功しているのであり、それがどのジャンルに属しているかなど、どうでもいいことだと思っていた。

だが、現実はそうではない。少なくとも、そういう仕組みにはなっていない。まず「これは○○小説です」とジャンルを明示することなしには、エンタメ文芸としてはそもそも企画として成立すらしないのである。それは、版元がその本をどのようにプロモーションしていくかという問題とも直結している。ひとことで定義できない作品では、どういう触れ込みで売り出せばいいかもわからないからだ。

それは同時に、読者が求めていることでもある。（これも『ルドヴィカがいる』の伊豆浜の語り口を借用するなら）「超絶技法が炸裂《さくれつ》する本格サスペンス」なのか、「息もつかせぬ展開のサイキックホラー」なのか、それとも「胸がせつなくなって感涙必至の純愛物語」なのか、内容が大枠でも想像できる形で紹介されていないかぎり、多くの読者はあえて手に取って読もうとはしてくれない。

本の読み手としての僕は、「なんだか得体が知れないけれど、読んでみたらおもしろかった」という経験を何度となくしているし、（中にはハズレももちろんあるとしても）それこそが読書の醍醐味《だいごみ》のひとつであるとすら思っているのだが、そういう意味でのスリルを楽しめる人は、読者としては少数派なのだ。

「これが売れなければ次はないかもしれない」

そうしてまっさらなところからルールを学びつつ、苦手意識を持っていた「ジャンル」なるものにあえて挑む決意を抱いた僕が、『ラス・マンチャス通信』に続いて新潮社から「受賞第一作」として発表した作品、『忘れないと誓ったぼくがいた』（二〇〇六年三月）は、結果としては甘い純愛ファンタジー小説となった（二作目がこれになった背景にはやや複雑な経緯があるのだが、それについては第3章で詳述する）。

「これが売れなければ次はないかもしれない」という危機感に襲われる中、いっそ針を振り切ってしまおうという身構えで、当時流行《はや》りだった『世界の中心で、愛をさけぶ』（片山恭一）や『いま会いにゆきます』（市川拓司《いちかわたくじ》）などの「純愛路線」を意識して形にしたものだ。

人々からなぜか忘れられ、ついにはこの世から消滅してしまうという不可思議な運命に見舞われた少女・織部《おりべ》あずさと、自分だけは彼女を忘れまいと涙ぐましい苦闘を重ねる平凡な高校生タカシとの交流と、二人のほのかな恋情を描いたこの小説は、デビュー作とは似ても似つかない、エンタメ文芸のルールを忠実になぞったものとなり、その豹変《ひょうへん》ぶりに驚いた読者も少なくなかったようだ。

だがさいわい、この作品は単行本でもわずかながら重版がかかり、文庫になってからは映画化（公開は二〇一五年、主演は村上虹郎《むらかみにじろう》と早見あかり）もされて、そこそこのスマッシュヒットとなった。「高校生のせつない純愛」という甘いモチーフの陰に僕がひそかに忍ばせた、「〝覚えていること〟と〝知っていること〟は何が違うのか」「〝記憶〟と〝記録〟の違い」といったいわば哲学的なテーマがどこまで読者に伝わったかはともかくとして、まあどうにか小説家として生き延びていく足がかりを形成することはできたのではないかと胸を撫《な》でおろしたものだ。

しかし一方で僕は、どこか煮えきらない思いを胸中に燻《くすぶ》らせてもいた。そしてそれは、その後、さまざまな出版社で、それぞれジャンルも趣向も異なるさまざまな作品を書いていく間にも、常に僕を据わりの悪い気持ちにさせつづけてきたものでもある。

自分はこうしていつも、ジャンルに縛られつづけなければならないのか――僕を苛んできた違和感とは、ひとことでいえばそういうものだった。

純文学には、そうした「縛り」はない。むしろ、既存の枠組みをいかに逸脱するかということに主眼が置かれ、そのことこそが高く評価されるようなところがある。僕はあらためて、本来の自分が追い求めていた純文学という領域の持つその自由さに焦がれ、現在の自分が置かれているエンタメ文芸という領域に不可避的に付随するルールの数々を、不自由な桎梏《しっこく》と感じるようになった。

しかし、事実として僕はすでに、エンタメ小説家としてのキャリアを歩みはじめてしまっていた。ほどなく、新潮社以外の版元からも続々と声がかかり、エンタメとしての作品が次々と形になってもいた。作家としての僕の資質を理解した上で、どうすれば売れる作品になるかと知恵を絞り、力を尽くしてくれている担当編集者たちの苦労に、できればヒットを出すことで報いたいという思いもあった。

だからまずは、この領域で目に見える「実績」を打ち立てることだ——僕はそう覚悟を決めた。直木賞とは言わずとも、（エンタメ文芸の登竜門と位置づけられている）吉川英治文学新人賞、あるいは本屋大賞などを受賞して、「平山瑞穂」の名に対する認知度を一気に高め、確固たる地位を築くことが先決だと考えたのだ。

そうすれば、今よりも発言権を得ることができるはずだと思った。「平山瑞穂」の名前だけで本が一定量売れるという既成事実を作りさえすれば、作品の方向性を純文学寄りに転じたとしても、版元もむげに「これでは出せません」とは言わないはずだ。今は臥薪嘗胆《がしんしょうたん》のときで、いずれはもう少し、書きたいものを書きたいように書ける立場になるはずだと。

ネット上のレビューなどを見ていても、遅くとも二〇〇八年くらいまでは、「平山はいつになったら、『ラス・マンチャス通信』のような作風の小説をまた書いてくれるのか」といった声が散見されていた。そうした「待望論」のようなものに、勇気を与えられてもいた。なんといっても、それが僕の原点であり、本来ならそこから敷衍《ふえん》する形で自分の作風を構築していきたかったのだから。

しかし結局、その後もめざましい実績を残すことはできないままいたずらに時が過ぎ、僕のデビュー作のことはいつしかほぼ忘れ去られてしまった。そして二〇一〇年代のなかばあたりから、僕は新作を出すことが目に見えて困難になっていった。

「わかりやすさ」が裏目に

そんな中、生き残りを賭して僕が試みたのは、活動するプラットフォームを自ら転換することだった。伝手《つて》を使って、純文学系の文芸誌（それは、かつて新人賞応募の常連となっていた雑誌たちでもある）の編集部につないでもらい、純文学のつもりであらたに書き起こした短篇などを読んでもらったのだ。

　エンタメ小説家として本を出しつづけることはむずかしくても、河岸《かし》を変えれば、いわばボクシングからＲＩＺＩＮなどの総合格闘技に鞍《くら》替《が》えするような形で、「再デビュー」することが可能なのではないか。「売れてナンボ」のエンタメ文芸と違って、純文学という土俵なら、作風を評価されさえすれば、細々とでも作品を発表しつづけることができるのではないか。

　ところが、その結果は無残なものだった。純文学系文芸誌の編集者たちは、僕が送った原稿について、口を揃えてこういう趣旨の講評を述べ、掲載を却下した。すなわち、「純文学としてはウェルメイドすぎる」（「ウェルメイド」とは、商業ベースでの「出来のよさ」を意味する言葉）、あるいは、「説明過剰で、予定調和的な側面が強すぎる」。

これにはすっかり打ちのめされ、しばらくは立ち直ることができなかった。

もともと生粋の純文学志向であったにもかかわらず、十数年、エンタメ文芸の領域内で揉まれてきた中で、僕はいつしか、「純文学の書き方」を忘れてしまっていたのだ。明瞭な起承転結を重んじ、「わかりやすさ」を尊ぶエンタメ文芸の流儀にすっかり浸りきり（あるいは、言葉は悪いがそれに「毒され」）、無意識のうちにそのスキルを作中にちりばめてしまっていたのだ。指摘を受けて原稿を直そうとしても、どこをどう直せばいいのかがもはや僕にはわからなくなっていた。

「入口」はまちがえてはいけない

僕のこの経験からいっても、小説家デビューする際の「入口」は、ゆめゆめまちがえてはいけないということははっきりしている。

もっとも、僕の場合、では日本ファンタジーノベル大賞に作品を応募しなければ、はたして小説家としてデビューできたのか、という問題がある。純文学系の新人賞に何度応募しても受賞できなかったのは、純文学作家としての資質にもともと不足があったからなのだと解釈することも可能だ。

それに、これだけは声を大にして言いたいのだが、結果として、日本ファンタジーノベル大賞が僕にとっての作家デビューへの突破口になったということを、僕は決して悔やんでいるわけではない。

純文学系の新人賞への応募で行きづまり、踏み惑っていた僕を見出してくれた下読みの人々、選考委員の方々や、あのセールスしにくい作品をどうにかしてエンタメ作品として世に出すための道筋をつけてくれた担当のＺさんなどに対しては、今もって感謝の念に堪《た》えない。彼らの計らいがなければ、そもそも僕は小説家としてデビューすること自体がかなわなかったのだから。

問題は、そうしてデビューを果たしたあとの僕が、自分自身のハンドリングを必ずしも的確には運べなかったという点にあるのだ。

だからこそ僕は、後続の人々には、同じ過ちをくりかえしてほしくないと切に望むのである。僕がそうであったように、状況によっては、「入口を選ぼうにも選べない」ということもありうると思う。しかし、そうしてなんらかのチャンネルを通じて小説家デビューを果たしてから、「これは違う、この流儀は自分向きではない」と感じたなら、その時点で、自分のその気持ちに素直に従うことを躊躇《ちゅうちょ》なく検討してみてほしい。すみやかに土俵を替えれば、まだ間に合うかもしれない。

いやしくも作家デビューできているという時点で、そうではない人よりははるかに有利な立場にあるはずだ。担当編集者に率直に思いを告げて、（たとえば僕のように、エンタメ小説家としてデビューしていながら、純文学のほうが自分には合っていると思うのなら）純文学を担う部署に所属する別の編集者などに紹介してもらうという手だってあるのだ（もちろん、純文学からエンタメへ、という逆のルートもありうる）。

ミスマッチを放置していても、その先に待っているのは悲劇だけだ。

第2章——功を焦ってはならない

功を焦るなという忠告

二作目の『忘れないと誓ったぼくがいた』のスマッシュヒットを受けて起稿した、新潮社での三作目に当たる『冥王星パーティ』の原稿がほぼまとまりかけていた頃のことだったと思うが、前章で述べた担当Ｚさんに、ある忠告を施されたことをよく覚えている。

それは、同じ日本ファンタジーノベル大賞を受賞したことで作家デビューを果たしたある人が、受賞作の次に刊行した本についての話だった。その本が出るタイミングは、驚くほど早かった。受賞作が刊行されてからほとんど間を置かない時期のことで、しかも版元は、新潮社ではなかった。

いったいいつそんなオファーを受けて、いつ執筆したのだろうと首を傾げはしたものの（どう考えても、その版元との間では、受賞前から話が進んでいたとしか思えないのだが）、「やり手なのだな」という程度の感想しか抱かずにいた。

ところがＺさんは、彼がそうして慌ただしく次作を刊行したことについて、苦言を呈していた。彼女の見解としては、「早く実績を作りたい気持ちはわかるけれど、あんな風に功を焦っていたずらに不完全な作品を世に出しても、いいことは何もない」という手厳しいものだった。それはもちろん、自分が担当している僕に対してのメッセージでもあった。

たしかに、そう言われてみれば、その二作目の版元は文芸の大手ではなく、「こんなところが文芸書も手がけていたのか」と意外に思うような出版社だった。その作品は文庫の書き下ろしという形態を取っていたのだが、そんなレーベルの文庫が存在することすら、その時点で僕は認識していなかった。

それに作品自体も、最初に読んだ時点では、ジャンルが自分にとってなじみのあるものではなかったこともあって適当に流し読みしていたものの、あらたまって見ると、どことなく「やっつけ仕事」と言いたくなるような、完成度の面では疑問のある出来だった。

一応言っておくと、くだんの日本ファンタジーノベル大賞受賞者は、その後、デビュー作を人気シリーズにまで育てることに成功し、現在に至るまでさまざまなシリーズものを次々にヒットさせて十全な活躍ぶりを示しているので、Ｚさんの懸念も結果としては杞憂《きゆう》だったということになるのだが、彼女の言っていることの神髄には、うなずけるところがおおいにあった。

しかし僕は、自分ではそれと気づいていなかっただけで、実際にはこの時点ですでに、それとよく似た過ちを自らしでかしてしまっていたのだ。

私的なエッセイ〝シュガーな俺〟

二〇〇六年、二作目の『忘れないと誓ったぼくがいた』がまずまずの売れ行きを示したことで一定の安心感は得られたものの、期待したほどのブレークスルーとはなりえなかったことで、僕は焦りを覚えていた。そんな中、当時勤務していた職場の後輩を通じて、僕は世界文化社の編集者（当時そうだっただけで、その後、彼は同じ出版業界で職場を転々としている）を紹介された。

ともかくまずは顔合わせということで、くだんの後輩を交えて三人で酒席を囲ったのだが、そのとき僕は、挨拶代わりと称して、ある短いエッセイのようなものを彼に手渡しておいた。それは僕自身の、糖尿病との闘病生活について、身近な友人向けにおもしろおかしく綴《つづ》ったものだった。

先に明かしておくが、僕は三四歳にして糖尿病を発症している。作家デビューする一年半ほど前の話だ。糖尿病といっても、太った人がなりやすい生活習慣病としてのあれ（それは「2型糖尿病」と呼ばれる）ではなく、「1型糖尿病」という名の、生涯インスリン注射が不可避的に必要とされるタイプの、突然変異的に発症する病気のことだ。たまに、子どもなのに食事前にインスリンを注射しなければならないようなケースを見かけるのではないかと思うが、僕も発症のタイミングが遅かっただけで、病気の型としてはあれと同じだ。

２型糖尿病は、食事療法や運動療法によって症状の改善が一定程度は見込めるが、１型はどうあがいても自らの膵臓《すいぞう》がインスリンをほとんど、あるいはまったく分泌できないため、血糖値を下げるためには、体外から投与するインスリン製剤に依存するほかない。だから僕は今でも、毎回の食事前に、自ら腹部に注射器の針を刺して、インスリンを体内に注入している。

ただし僕の場合、厳密には、「緩徐《かんじょ》進行１型糖尿病」と呼ばれることもある、きわめてめずらしいタイプだった。当初は２型糖尿病と同じような症状を呈し、一定以上の期間が経過してから、最終的に１型の状態に陥るというものだ。したがって僕は、まずは「２型」と診断され、２型の患者としての治療を受けていた時期もある。その間は、食事の内容を見直すことなどによって、血糖値を改善することもできていたのである。

くだんのエッセイでは、自分がそうと診断され、入院したり、食事療法に励んだり、それによっていっとき症状が改善されたのを喜んでいたりしたのもつかのま、のちに一転して「１型」と診断が改められ、インスリン注射なしには生存を確保できない身となったりしたことなどをめぐる悲喜こもごもを、赤裸々に綴っていた。

それはあくまで、「こんなものも書けます」ということを軽く示すためのデモンストレーションのようなものにすぎなかったのだが、後日、あらためてお会いしたいと申し出てきたその編集者が提示してきたオファーは、こういう内容だった。

「先日いただいた〝シュガーな俺〟、たいへんおもしろく拝読しました。これ、内容を膨らませて本にできないかと思っているんです。――いえ、エッセイではなく、小説として」

〝シュガーな俺〟とは、僕がそのエッセイにつけていたタイトルだが、結果としては、そのタイトルがそのまま、三作目の小説として刊行された『シュガーな俺』に引き継がれることになる。「シュガー」は、糖尿病の「糖」の部分をコミカルに表現したものである。

世界文化社は本来、実用書やムックなどを主力商品としてきた出版社だが、二〇〇〇年代中盤のこの時期、爆発的に売れた小手鞠るいの『エンキョリレンアイ』などを契機に、文芸の領域へと一気に攻勢を推し進めていた（現在は、文芸分野からはほぼ撤退しているようだが）。その流れの中で、文芸関係の目新しいコンテンツはなんであれ歓迎するような気運が高まっていたのだろう。

恰好のネタ

当時、僕は前出の『冥王星パーティ』という長篇作品を、担当Zさんのリクエストに従って改稿しているさなかだったのだが、ある理由で、その作業は難航していた（それについては次章で詳述する）。その改稿から目を背けたい気持ちもあって、僕はこの話に飛びついてしまった。出身母体である新潮社以外の版元から具体的に刊行の話を持ちかけられたのもそれが初めてのことであり、やや浮き足立っていた面もある。迷う点があるとすれば、それは糖尿病に罹患《りかん》したという事実をカミングアウトしなければならないという、一種の不面目に関する問題だけだった。

くだんの編集者は、最初からこれを「オートフィクション」として形にする図を描いていた。オートフィクションとは、作者自身の体験をあけすけに語っていながら、フィクション要素も織り交ぜ、体裁としてはあくまで「フィクション」であるという装いを取り払わない作品のことを指している。つまりは、一種の私小説ということだ。そのほうがよりショッキングであり、その分、耳目を集めるはずだという計算が、その裏にはあったのだと思う。

ただしそれは、プライバシーを明かすことにもつながる。純文学を志向してきた僕でも、いわゆる私小説のスタイルで作品を書くことには抵抗があった。自分だけではなく、自分と密に関わる周囲の人々まで当事者として傷つける可能性があるからだ。しかし、糖尿病が国民病とまで言われつつある現状を前に、この恰好のネタを売り物にしないで何を題材にするのか、という欲目が働いてしまったことは否定できない。

つまり、「私は糖尿病です」ということを明かす見返りとして、注目を集めること、話題になることという利得が得られるのではないかと思ったのだ。

当時の僕は、とにかく、どんな形であれ、名前を売ることにこだわっていた。名前さえ広く認知してもらえれば、あとはどうにでもなると思っていた。そのとき、多くの日本国民にとって無視できない存在となっている糖尿病をダシにすることも、戦略としてはアリだと判断したのである。

糖尿病患者は、その予備軍も含めて、今や国内に二〇〇〇万人とも言われている。そのうちの大半は2型である。僕がかかった1型糖尿病は、全人口に占める割合が〇・一パーセント程度というかなりめずらしい病気なのだが、その中でもさらにめずらしい「緩徐進行1型」として、僕はある時期まで、図らずも2型患者としての経験も同時に積んでいる。執筆に際しては、それがいわば強みになった。なんといっても、多くの人に関係があるのは、糖尿病のうちの圧倒的多数を占める2型だからだ。

ブログ連載という試み

結果として、二〇〇六年一一月、『シュガーな俺』は、僕にとって三作目の小説、そして初のオートフィクションとして、世界文化社から刊行された。

原型が私的なエッセイだっただけあって、この小説も、僕自身の個人的な体験に大幅に依拠した内容となった。語り手・片《かた》瀬《せ》喬《きょう》一《いち》は、ある意味で僕自身とイコールと言ってもよく、劇中では、糖尿病に罹患してからのいきさつに留まらず、小説家デビューを目指していることなどについても、僕自身と同じ設定にしていた。

物語としてドラマティックにするために、片瀬が小説を文学賞に応募し、それが受賞するに至る経緯にトリッキーな要素を組み込んだ点や、片瀬が会社の同僚と浮気する点など、フィクション要素も盛り込んだものの（浮気については、「色気が欲しい」という担当編集者からのリクエストに応じたものなのだが、発表後、「これも事実なのか」「奥さんはどう言っているのか」などと各方面から問いただされて少々辟易《へきえき》した）、それ以外、特に糖尿病の治療をめぐるさまざまな描写については、ほぼ現実をそのままなぞったものとなっている。

闘病記というと、悲壮感の漂うものを思い浮かべがちだが、そういうものにはしたくなかったので、あえて笑える要素も積極的に取り入れ、軽妙なトーンで書くことを心がけた。

なお、この本については、実は刊行に先立って、「ブログ形式での連載」という実験的な試みを行なっている。あらかじめ書き上げておいた原稿を分割して、ニフティでのブログの形で少量ずつ無料公開するというものだ。しかもコメント欄を通じて、著者である僕が読者とダイレクトにやりとりできるという機能も伴ったものだった。

　連載といっても、原稿料が発生するわけではない。あくまでセールスプロモーションの一貫として、ニフティの協力を仰いだだけだ。当時は電子書籍の黎明《れいめい》期に当たり、また人気ブロガーの書いたブログが書籍化されるといった目新しい動きも出はじめている時期だった。ニフティとしても、「ブログで連載していた小説が書籍化された」という触れ込みで本を売り出すパターンにどれだけ可能性があるのか、それを検証したいという目算があったのだろう。それもあってか、ブログでの連載が終了したら、ニフティで電子書籍にしてくれるという話になっていた（まだ出版社が自社で電子化することが普通ではなかった時期のことだ）。

　当時僕は、自分でもブログを毎日のように更新しており、コメント欄も開放していた。しかも、日々、常連たちが中心となってつけてきてくれるコメントのひとつひとつに、いちいち律儀《りちぎ》に応答していた。芸能人などは、自身のブログにおびただしい数のコメントがついても、つけるだけつけさせておいて華麗にスルーしているようなケースが多いようだが、僕は加減がわからず、すべてに目を通していねいに返信していたのである。

ニフティの『シュガーな俺』ブログでも、僕はそのスタイルを踏襲してしまった。しかもこちらは、僕個人のブログより圧倒的にコメントの数が多かったため、僕は日々、会社で終日働いて疲れて帰宅したあとで、無償であるにもかかわらずコメントの応酬に追われ、泣きたくなるようなときもあった。

さらにいうなら、こちらのブログに寄せられるコメントは概して長文が多かった。糖尿病患者本人が自らの発症当時の状況やその後の治療経過などを詳しくレポートしているようなケースもあれば、患者の家族、多くは奥さんが、「主人がこういう状態で心配している」といったことを縷々《るる》綴っているような切実なケースもあった。それではますます、なおざりにはできない。

コメントが多く寄せられる分、手応えはあったし、どういった人々が読者になっているのか、ダイレクトに感触を得ることもできて、興味深い体験ではあったが、そのたいへんさを思うと、同じことは二度とやりたくないとも思うし、こうしたやり方がセールスプロモーションとしてどこまで有効だったかは、率直にいってかなり怪しいとも思っている。

そうした苦労を経る中、オビに「世界初の糖尿病小説!?」とも銘打たれた『シュガーな俺』の単行本が刊行されたのは、ブログでの「連載」が八割がたあたりまで達していたタイミングだっただろうか。

驚くほどよかったメディアの反応

正直にいって、メディアの反応はよかった。「驚くほどよかった」と言い換えてもいい。なにしろ、「糖尿病」という強力なフックのある作品なのだ。ブログで先行公開している間から、朝日新聞や読売新聞で取り上げられていたし、本が出てからは、その比ではなかった。『週刊女性』『Ｔａｒｚａｎ』『ｄａｎｃｙｕ』など名だたる雑誌・新聞から相次いで取材依頼が殺到し、インタビューに応じた回数だけでも一〇回は下らなかったと思う。地方局ながら、ＴＶへの出演すら二回ほどあった（関西方面で放映されているワイドショーで、スタジオのピーコが画面上の僕を指して、「この人、まだ若いのよね」と評していたことを覚えている）。書評などで取り上げられた機会も数知れず、途中からは把握しきれなくなるほどだった。

会社退勤後の夕方以降、さばききれずにＴＶからの取材と雑誌からの取材を同日にかけ持ちで受けて帰宅したあとなどには、疲労のあまり口もきけなくなっているありさまだった。

実は、まさにそのさなかに、家で飼っていた最愛の猫（『シュガーな俺』の作中では、「みけ松」

の名で登場する）が一四歳で壮絶な病死を遂げるという悲劇も同時進行で起こっていて、精神的にはボロボロだったのだが、さかんな取材攻勢にはたしかな手応えを感じていた。

糖尿病をテーマにした小説――それが、少なくともメディアにとっては、どれだけ話題性の高いコンテンツであるかということをまざまざと思い知った。

たしかに、糖尿病という疾病それ自体を主要なモチーフとした創作は、小説であれ、映画であれ、コミックであれ、それまで目にした覚えがなかった（二〇一一年になって、ヒロインが1型糖尿病という設定の小説、『心はあなたのもとに』を村上龍が発表しているが、リアルな1型糖尿病患者からしたら首肯《しゅこう》しがたい事実誤認がいくつか見られた）。その意味でも、この小説には大きなアドバンテージが付与されているはずだった。

「カミングアウト損」

「来た！」と思った。今度こそ波が来たと思ったのだ。糖尿病であることを明かすことには一定の抵抗があったが、これで作家として名を上げることができるなら、代償としては安いものだ。そんな思いで僕は重版の知らせを待ち受けていたのだが、肝腎の売れ行きのほうはなぜかあっという間に失速し、メディアであれだけ派手に取り沙汰されていたことが夢だったかのように思いなされる始末だった。

なぜセールスに結びつかなかったのかは、わからない。本の装幀《そうてい》やオビが控えめで地味な上に、情報量が少なすぎて、どういう内容なのかが伝わっていなかったのではないかとか、世界文化社が文芸分野では後発で、セールスに関して十分なノウハウを持っていなかったのではないかとか、読者層の中で大きなパーセンテージを占めてくれるはずと期待していた「糖尿病予備軍」の人々にとっては、むしろ「現実に直面したくない」という気持ちのほうが強かったのではないかなど、いろいろと列挙することはできるが、いずれも今さら検証のしようもない仮説ばかりだ。

ともあれ、結果として、自らの抱える病気をあえて白日のもとに晒《さら》した僕のこのオートフィクションは、「カミングアウト損」に終わった。

それでも、ニフティで電子書籍化されれば、コメント欄での濃密な応酬なども抄録《しょうろく》できるのではないかという一縷の期待を抱いていたのだが、そうこうするうちにニフティ側の担当者が転職してしまい、それに伴って電子書籍化の話もうやむやになった。どうやらたいして旨みがないらしいということがすでに判明していたことも、一因だったのかもしれない。

大量のコメントがついた『シュガーな俺』ブログは、その後も何年間か放置されていたが、ある日ふとアクセスしようとしたら、跡形もなく消え去っていた。数々のコメントにひとつずつ丹念に返信した僕の血の滲《にじ》むような努力と献身の証も、無用になったデータの塊として一瞬で消去されてしまったのだろう。

だいぶ経ってから、ある病院では、「糖尿病患者の気持ちがわかる」という理由で、病棟勤務の看護師たち全員の間で『シュガーな俺』が回し読みされているといった話が伝わってきた。そういう形では、この本も広く浸透し、一定の貢献を果たしたのかもしれない。

またこの本は、糖尿病専門医やその業界団体などからは注目されていたらしく、糖尿病がらみのシンポジウムに声がかかることが、その後何年も続いた。基調講演やパネリストとしての参加を依頼され、在住している東京から名古屋に大阪にと足を運んだが、講演料が出るとはいっても、小説家としての僕にとってさしてメリットのある話でもない。もともと人前で話すのが苦手なのを押してまで登壇することに意味を見出せず、ある時期からはそういう話があっても断るようになってしまった。

映像化のオファー

実は、この小説についても、映像化のオファーはたびたびあった。ただし、小説の映像化は、「二〇〇〇にひとつ」と言われるほどハードルが高い。二作目の『忘れないと誓ったぼくがいた』も、最終的に映画化が実現するまで、浮かんでは消える映像化企画が七つか八つはあったと思う。

『シュガーな俺』でも何度となく似たような肩透かしがくりかえされたあげく、ある企画がついに、王手をかける段階まで達した。スポンサーも続々と決まり、脚本も改稿に次ぐ改稿を経て「第13版」にまでなっていた。ついには原作の使用料まで振り込まれたので、これはもう確定だろうと思っていたのだが、ある時期からぱったりと続報が途絶え、それからすでに五、六年が経過している。おそらく、土壇場で資金繰りが頓《とん》挫《ざ》し、企画そのものが空中分解してしまったのだろう。

なお、本作は二〇〇九年一〇月に、一度、新潮文庫に入っている。当時の文庫編集部の担当編集者が、単行本を読んでおもしろいと思い、ぜひ新潮文庫のラインナップに加えさせてほしいと持ちかけてきたのだ。新潮文庫なら初版部数の最小ロットも他社より桁違いに多いし、小さな書店にも置かれる確率が高いから、これで起死回生が図れるのではないかと期待したが、結果はやはり不発に終わり、この新潮文庫版『シュガーな俺』は、瞬く間に絶版の憂き目を見た。ほとほと恵まれていない作品である。

わずか三作目という誤算

せめてくだんの映画化企画が実現していれば、少しは話も違ったのかもしれない。しかし現実にはそれもかなわなかった中、この小説を刊行したことは、いったい僕に何を残してくれたのだろうとときどき思うことがある。むしろ、マイナス面のほうが大きかったような気さえするのだ。

問題は、この作品が、僕のビブリオグラフィーにおいてわずか三作目にすぎなかったという点にある。

当時の僕は、まず『ラス・マンチャス通信』という、一般受けからはほど遠い物語でデビューして、そこでついてしまったケチを、二作目の『忘れないと誓ったぼくがいた』でどうにか振り払ったところだった。両者は作風としては大きく異なるが、なんらかの「ファンタジー」要素があるという点では通底している。僕はたぶん、そこで大きく路線を変えるべきではなかったのだ。

その二作に続いて発表したのが、糖尿病を主題としたなかば自伝的な小説とあれば、「いったいこの作家は何を書きたいのか」といたずらに読者を混乱させ、気持ちを離れさせる結果にしかならなかったのではないだろうか。

最初の数作というのは、その書き手の「作家像」を形成する重要な契機となる。一作、二作読んでみて、気に入れば次も買う、というのが読者の心理だろう。その選択肢がまだ乏しいうちに、「この作家のテイストは自分に合う」と判断してもらうためには、内容もテイストも異なるちぐはぐなものをむやみに並べてしまってはいけなかったのだ。

自らの糖尿病闘病体験を赤裸々に綴った小説——それもいいだろう。しかしそれを世に放つのは、なにもこのタイミングでなくてもよかったのではないか。せめてあと何作か書いて、「平山瑞穂」という作家像がある程度定まり、一定の固定読者がついてからでも遅くなかった気がする。そうすれば、「あの平山瑞穂が、今回は意外なものを書いた」ということで、『シュガーな俺』自体への注目度も高まっていたかもしれない。

三作目では、「意外」も何もない。まだ海のものとも山のものとも知れぬ状態なのだから。しかし僕は、新潮社のＺさんによる忠告にもかかわらず、「功を焦って」いた。目の前に提示されたオファーに、一も二もなく飛びつかずにはいられなかった。そのことが、今になって悔やまれる。

もちろん、『シュガーな俺』という作品を発表したこと自体が失敗だったと言うつもりは、毛頭ない。問題はあくまで、そのタイミングを誤ったことなのだ。世界文化社の売り方にも難点があったかもしれないにしても、「作家個人の糖尿病体験を小説にする」という担当編集者の発案そのものは、冴《さ》えたものだったと今でも思う。だからこそ、メディアもあれだけ殺到してきたのだ。

企画としては勝算があっただけに、適切なタイミングを捉えそこねてしまったことは、いくら悔やんでも悔やみきれない。

「失敗」のその後

さて、この『シュガーな俺』については、悪い面ばかり書き連ねてしまったが、ささやかながら「いい面」もなかったわけではない。それについても付言しておく必要があるだろう。

二〇一八年七月から翌年三月にかけて、僕は『日刊ゲンダイ』に、『患者が語る 糖尿病と一生付き合う法』というコラムを週に一度、三二回にわたって連載している（現在でもウェブ版で読める）。糖尿病に罹患してから一四年ほどが経過した時点での現況、いわば『シュガーな俺』の続編とも呼べる代物だ。

インスリンを打ちすぎて低血糖による昏倒状態に陥り、救急搬送された際の顚末《てんまつ》や、その後発売された最新式の血糖測定器の効用などを綴ったものだが、小説家として行きづまり、路頭に迷いそうになっていた中、この連載から発生する原稿料は貴重な収入となった。ささやかといえばあまりにささやかな利得だが、これも『シュガーな俺』を発表していなければありえなかった企画だ。刊行から十数年を経過してもなお新しい仕事に結びついたという意味では、この作品からもなにがしかの恩恵を受けたのだと言えなくもない。

ライトノベルの誘惑

功を焦り、下手《へた》を打ってしまったという点で、この『シュガーな俺』の発表はひとつの失敗を物語るケースと言えるが、寸前で踏みとどまった経験も、僕にはある。それについても、この章で併せて明かしておこう。

時期的には『シュガーな俺』が出た翌年くらいのことなのだが、僕はある編集者から執筆の打診を受けていた。その人のことは、仮にY氏と呼んでおこう。実はY氏は、もともと僕の個人ブログにおける常連コメント投稿者の一人でもあり、リアルでの面識はないまま、コメント欄を通じての交流があった。その後、某出版大手のライトノベル編集部に職を得たY氏が、今度は一編集者として声をかけてきてくれて、そこで初めて顔を合わせる次第となったのだった。

そう、彼が提示してきたのは、ライトノベルを書いてみないかという申し出だった。

その時点で、ライトノベルと呼ばれるものについて、僕にはなんの定見もなかった。せいぜい、「学園を舞台としていて、アナクロニスティックで不自然な喋《しゃべ》り方をするツインテールの女の子などがたくさん出てくる、イラストの多い文庫判の軽い小説」という程度の認識しかなかった。意識して読んだこともなかったし、まして自分で書きたいなどとは思ってみたこともなかった。

だからこのオファーにも最初はやや当惑したのだが、よくよく話を聞いているうちに、彼があえて僕に声をかけたその理由が、次第に腑に落ちてきた。

Ｙ氏は僕よりもずっと若いのに、読書量が並大抵ではなく、知識も驚くほど豊富で、日本はおろか世界の文学史やそれをめぐる見取り図などが、すっぽりと頭の中に収まっていると言っても過言ではなかった。その上で、彼はライトノベルにさまざまな可能性を見出していた。

僕の作品の一読者としては、デビュー作である『ラス・マンチャス通信』をイチ押しで絶賛してくれていて、僕が自分の本来の持ち味であるその方向性を活かすに活かせずもどかしく思っていることも、よく理解してくれていた。そして、ライトノベルという領域にこそ、それを十全に発揮して作品の形に結実させられる余地があるのだと説いた。

当日手渡された、彼が勧めるライトノベル作品や、その後彼が担当して形になるたびに送ってきた新刊などを、僕はひとまず虚心坦懐に読んでみた。すると、この分野の作品に、僕が漠然と思い浮かべていたイメージとは大きく異なる側面がいくつも備わっていることがすぐにわかった。

ライトノベルというのは、ジャンル名称ではない。イラストが多用されるという仕様などと並んで、いわゆる「萌えキャラ」が登場していることなど、いくつかの絶対外せない不動のルールはあるものの、それ以外はまったくの自由で、作風は著者によっててんでに異なり、内容もミステリーからＳＦから恋愛ものからなんでもアリの様相を呈している。中には、純文学かと見紛《みまが》うものまである。それこそ手練《てだれ》の純文学作家顔負けの、詩的で華麗な文体を惜しげもなく披露している書き手もいる。

ライトノベルとは、ある意味で文学的才能の宝庫でもあるのだ。最初からそれを志向していた書き手ももちろんいるが、一般文芸における作家デビューを目指して果たせず、結果としてはライトノベルの領域で日の目を見たという書き手も少なくないようだ。僕はそれまでの自分の不明を恥じ、いつしかこの分野に対してそれまでとは違った目を向けるようになっていた。

この領域で書いていくことに、いっときかなり心惹《ひ》かれていたことは否定できない。このまま一般文芸、それもエンタメの分野で、さまざまなルールに縛られる不自由さに翻弄されながら、いつになったら売れるのかという焦りを抱えたままやっていくよりも、いっそライトノベルに宗旨替えしてしまったほうが、書きたいように自由に書かせてもらえるのではないか。そのほうが、小説の書き手としての僕にとっては幸せなことなのではないか――。

Ｙ氏も、「なんらかの萌えキャラさえ登場させていただければ、あとはどうぞなんでも自由に書いてくださってかまいません。『ラス・マンチャス通信』ばりの奇想を炸裂させたようなものも大歓迎です」と請け合ってくれていた。そして、「まずはこういうのはどうでしょう」と、具体的なヒントを提示してくれてもいた。いつしか話は、僕がその申し出を受けるという方向で進んでいた。

エンタメ文芸とは異なるラノベの「ルール」

しかし当然、迷いもあった。

ライトノベルを書くということは、ほぼ、それに専念することを意味している。この領域で作品が売れれば、当然、「次も」という話になる。固定読者のつくシリーズものを生み出せることこそが、この分野における成功なのだ。そしてシリーズものを出すとなれば、年間に三作は書かなければならない。

「年間に三作」というのは、「一学期ごとに一作」という計算に基づいている。主要な読者層である中高生などの購買力ではそれが限界だし、かといって半年以上間を空けてしまったら、読者の興味を釘づけにして引っぱりつづけることがむずかしくなるからだ。そして「年間に三作」というのは、ほぼ、全労力をそれに振り向けなければならないペースである。当時、サラリーマンと兼業だった僕には、その三作を仕上げること以外になにかをする余力など、とうてい捻出できそうにはなかった。

それに、エンタメ文芸よりはるかに「自由」だとはいっても、この領域に内在する別のルールは厳然としてある。ルールとしてのその拘束力は、むしろエンタメ文芸におけるそれよりも強いほどだ。

「萌えキャラ」なんて描いたことは一度もなかったし、描ける自信もなかった。「萌え」という概念自体が、僕の理解を超えていたからだ。それがどういうものなのか言葉で説明することはもちろんできても、自分でそれを感じることができなかった。そしてそういうものを、好きになれるとも思えなかった。

年間三冊出すことができ、ある程度売れることにも成功すれば、実入りがずっとよくなる可能性もあった。なんなら、それだけで生計が十分に成り立つかもしれない。ただ、ライトノベルというのは、（中高生とはかぎらないにしても）特定の嗜好を持つ読者の間だけで読まれる、きわめて閉じられた世界だ。この領域でどれだけ売れたとしても、（それこそ『涼宮ハルヒ』シリーズの谷川流《たにがわながる》級でもないかぎり）一般での知名度には結びつかないだろう。

それでいいのか。それが僕の目指していた小説家としての姿なのか――。

たとえば桜庭一樹など、ライトノベル出身で、のちに一般文芸で大成した書き手もいることは知っていた。しかし僕の場合、逆コースを辿るわけだ。その点にも、拭いがたい違和感があった。そういう形でライトノベル作家になってしまえば、変に色がついてしまい、いずれ再び一般文芸の世界に戻ろうとしても、戻りにくくなってしまっているかもしれない。

自由に書きつづけられ、なおかつ常時仕事が舞い込んでくれさえすれば、それでいいというわけではない。かなり悩んだが、やはり、この話は断るべきだと最終的には心が決まった。

Ｙ氏には、その思いを率直に打ち明け、いろいろと手引きしてくれたのに申し訳ないと心から謝った。Ｙ氏はとても残念がってはいたが、僕の心情は理解してくれた。

四年ほどして、Ｙ氏から「退職のお知らせ」と題されたメールが送られてきた。それまで勤めていた出版大手を辞め、フリーランスの編集者としてやっていくという話だった。該博《がいはく》な知識を持ち、編集のスキルにもひとかたならぬものがある彼なら、どんな形でも十分にやっていけるだろうと思った。

「平山さんには本当にどこかでブレイクしてほしいし、絶対にその資質もある方だなと思いつつ、僕には一般文芸の編集のノウハウもないので、一読者として著作を拝見させていただいておりました」と綴っていた。いずれまた、なんらかの形で、一緒に仕事をする機会が訪れるかもしれないと思っていたが、その後も声はかからなかった。最近になって聞いたところでは、いろいろと思うところがあって、ある時点でライター業に転じたという。

これは、「確実に持続可能な形で仕事を受けつつ、なおかつ比較的自由に書いていけそうな環境」に惹かれ、しかしあと一歩のところで踏みとどまったケースと言っていいと思う。ただ、このとき結果としてオファーを断ったことが、本当に「失敗を回避した」ことになったのかどうかという点については、微妙なところがある。もしかしたら、Ｙ氏のもとでライトノベル作家になってしまっていたほうが、小説家としては成功していたということになるかもしれないのだ。

進むべき道を選択することの裏には、常にそうした紙一重の不確定性がつきまとっている。

コラム　逃げる編集者たち

鮮やかすぎる手のひら返し

　うまくいっている——すなわち、小説家が売れているか、売れるかもしれないという期待を出版社側に抱かせることができるかしているかぎり、担当編集者というのは、作家にとって実に頼りになる相棒でありうる。しかし、その前提が崩れるなり、彼らは驚くほど素早く、「逃げる側」に回る。そのことは、小説家を目指す以上、知っておいたほうがいい。

　もちろん、全員がそうだと言うつもりはない。中には、さしあたって仕事には直接つながらなくても、思い出したようにふと安否を気遣ってくれたり、本人の思いにかかわらず何も力になることができないことについて、申し訳ないと言ってくれたりする人もいる。どうにかして刊行まで漕ぎつけた他社での新刊を律儀に読んで、感想を書き送ってくれる人もいる。

　しかし、僕の感触からすると、八割がたの編集者は、見込みがなくなってしまったあとの小説家に対しては、接触そのものを無条件に避けようとすると言ってまちがいない。少なくとも、僕はそういう扱いを受けている。

「うまくいっていた」頃、僕の書いた作品や僕の作風・才能について、あれほど惜しみなく賛辞を並べ立ててくれたことは、いったいなんだったのか――。そう言いたくなるほど、彼らは一転して冷淡になっていくのだ。

　必ずしも、悪気があってそうしているのではないことはわかっている。多くは、ただ心苦しくて、「合わせる顔がない」と思っているだけなのだろう。前任者からたまたま割り振られて担当になったというのならともかく、自分から「この人に書いてもらいたい」と望み、声をかけてきた場合などは特に、自分の担当した本が結果として売れなかったことを面目なく思ってもいるはずだ。

　さりとて、「この作家の本はもう出せない」というジャッジを社からひとたび下されてしまえば、一編集者にできることはきわめて限られている。たとえ本人に、ひきつづき僕に書いてもらいたいという気持ちがあったとしても、それを果たす方法はないに等しい。色よい話が何もできないのにメールなどを送ったところで話題もないし、連絡もおのずと滞りがちになるだろう。それはわかる。

　それはわかるのだが、それにしても——と思うような数々の事例に、僕は直面してきた。

果たされなかった約束

　たとえば、こんなエピソードもある。登場人物は、仮にＸ氏とＷ氏とでもしておこう。Ｘ氏は、自身が担当した僕の本が売れないとなった途端、ぱったりと連絡をくれなくなってしまった。あるパーティの会場で偶然出くわした際、散会直後に一瞬だけ近づいてきて、「近いうちに食事でも」とだけ言ってなにやらいそいそと立ち去るのを見送ったのが、彼と顔を合わせた最後だ。その食事の約束は果たされなかったし、やがて年賀状さえ届かなくなった。

　そんなＸ氏のふるまいをかたわらで見ていて、「あの人にはそういうところがあるんです。都合が悪くなるとすぐ逃げるんですよ」と苦言を呈していた別の編集者もいた。それがＷ氏だ。Ｗ氏は、Ｘ氏とは別の出版社の編集者だったのだが、たまたまX氏とも懇意にしており、その人となりをよく知っていたのである。そしてW氏自身は当時、自分の勤務する出版社で、僕の小説を刊行しようと画策してくれていた。

ところが、その頃にはすでに、「売れなかった」というデータがだいぶ蓄積されていた僕については、どの社でも判断が厳しくなってきており、W氏の出版社でも、僕の本を出すという企画については再考を促される流れとなってしまった。W氏は、「タイミングを見計らって再チャレンジします」と約束してくれていたのだが、ほどなくして、そのW氏からも連絡は途絶えた。そしてW氏もまた、年賀状すら送ってこなくなった。それきり一〇年ほど、彼からはいっさい、なんの連絡も受けていない。

なんのことはない、X氏のことを批判していたW氏も、「都合が悪くなると逃げる」という点ではまったく人のことが言えず、X氏とそっくりのやり方で、僕の前から姿を消したのである。

かぎりなく高いハードル

彼らのことを恨む気はない。僕だって、同じ立場なら似たような形でしかふるまえないかもしれないのだから。それに彼らには、こちらからその後、なにか働きかけをしたわけでもない。「その後、どうなっていますか？」とか、「仕切りなおしで、僕の本を出すことをもう一度検討してもらえませんか？」などと持ちかければ、もしかしたら、彼らもなんらかの努力をしてくれたかもしれない（その可能性は高くないだろうとは思うが）。

僕が彼らにそうした打診を試みなかったのは、僕の本を刊行するという企画を通すことなど、十中八九、無理であることがその時点ですでに自明であり、彼らをいたずらに困らせたくなかったからだ。

本を出版することは、かぎりなくハードルが高い。大手の場合、初版としては最低でも三〇〇〇部ほどは刷らねばならない（実際には、四～五〇〇〇部ほどになることが多い。もちろんこれは、「売れない」作家の場合である。売れっ子なら、三万部からスタートなども普通にあるだろう）。通常、その本が実際に売れようが売れまいが、本の定価×刷り部数の一割程度が著者に印税として支払われるわけだが、それ以前に、印刷代・紙代・製本代という膨大な経費が発生する。

その他、製版代や装幀等のデザイン料なども含め、一冊の本を作るのにかかった経費を回収し、なおかつ利益を出すためには、けっこうな部数が売れてくれなければならない。それが見込めない作家の本を版元が刊行したがらないのも、当然といえば当然の話なのだ。

文芸誌の実情

しかし、文芸誌等に掲載されるだけで完結する短篇小説ならどうだろうか。それからも原稿料や挿画等の依頼料などの経費は発生するが、一冊の本を出すことに比べれば微々たるものだ。また、文芸誌なら、単発のコラムや書評などの小さなコーナーもある。

文芸誌というのは、多くの場合、もうだいぶ前から、それ自体が読まれることはほとんど想定されておらず、ただ作家に一定の報酬（原稿料）を与えながら、本にできるような長篇作品や短篇の連作などを書かせるための原稿生産媒体にすぎなくなっている（それもあって、文芸誌はここ一〇年ほどの間に続々と電子化され、コストのかかる紙媒体での刊行が中断されるケースも増えている）。そこで発生した経費は、連載された作品が書籍化されてから、その売り上げによって回収するというビジネスモデルになっているのだ。

それでも雑誌としての一応の体裁は必要なので、文芸誌には、連載小説以外のそうしたコラム等の小さなコーナーも設けてあることが多い。そしてそのスペースは毎月、実際にそれを読む人がいようがいまいが、だれかが埋めねばならないのである。

僕はそこに目をつけた。この際、本など出せなくてもいい。そこまで高望みはしない。そのかわり、文芸誌で運がよければ読み切りの短篇を、せめてコラムか書評をときどきでも担当させてもらえれば、その原稿料がわずかながら収入の足しにはなる。仮に、担当編集者以外、誰もそれを読まなかったとしてもかまわない。少額でもとにかくお金になれば、それだけでもありがたいのだ。

コラムなどの原稿料は、よくてせいぜい三万円程度だが、二〇一〇年代の中盤以降、自分名義の本を出すことがいよいよ困難になってきていた僕は、それすら貴重な収入としてあてにするほど、追いつめられていたのである。

「うまくいっていた」頃なら

僕は、かつて担当だった——そしてある時期以降、すっかり没交渉となってしまっていた編集者たちに相次いで連絡を取り、読み切りの短篇か、単発のコラムなどでもいいから、とにかくなにか書かせてもらえないかと交渉しまくった。

それに応じて、具体的に収入に結びつく便宜を図ってくれたのは、事実上、一人だけだった。その編集者は、その後、自分も編集に携わっている月刊文芸誌（といっても、ページ数の少ないＰＲ誌のようなものだが）に掲載される書評の仕事を、何ヶ月かに一度、僕に回してくれるようになった。

もちろん中には、そうした文芸誌等の編集にタッチしておらず、回したくても回しようがないという立場の人もいた。そういう人のことまで冷淡だと謗《そし》るつもりはない。しかし、僕との関わりが薄くなってから、某文芸誌の編集長にまで昇進していた人が、僕の願い入れに対して、「現在、お力になれることは何もありません」とにべもなく門戸を閉ざしてきたときには、さすがにいささか唖然《あぜん》とさせられた。

僕はなにも、「本を出させてください」などと頼んだわけではない。原稿料二万円かそこらのコラムを、ときどきでいいから担当させてほしいとお願いしただけだ。

編集長の立場でその采配すらできないというのを、素直に信じるのはむずかしかった。ほかに理由があるとすれば、とにかく、僕とは関わりたくないということ以外に思い浮かばなかった（一応言っておくが、「うまくいっていた」頃には、その編集者との関係は良好だったし、僕はその人のもとで二作も本を出している）。

その背景にあるものが、僕に対する嫌悪感などではなく、やはりうしろめたさや心苦しさだったのかもしれないにしても（たぶんそうだと思う）、せめて「今すぐには思い当たりませんが、なにか検討してみます」くらい言えなかったのだろうか。そう言ったら、僕が「検討の結果」を期待してまた連絡してくるから困る、とでも思っていたのか――。

忘れがたい不義理

それでもその人は、メールでの僕の問い合わせに対して、少なくとも応答はしてくれたのだからまだましだ（といっても、実際には、二度催促してやっともらえた返信だったのだが）。メールを何度送っても、いっさい返信してくれなくなってしまう人もいる。それも、一人ではない。そういう形で完全に連絡が途絶えた編集者を、僕は三人知っている。

　なにか事情があったのかもしれない。たとえば、当人がとうに退職しており、メールアカウントだけが削除されずに残っていたといったケース。あるいは、なんらかの理由で、僕が送ったメールがすべて「迷惑メール」扱いとなり、本人の目に触れないまま削除されてしまっていたといったケース。もうひとつ考えられるのは、当人がメンタル面での問題を起こすなどして、休職していたといったケース。

　最後のパターンに関しては、休職が解かれたらメールも目にするはずなのだが、たとえば「文芸の仕事をしている間にうつ状態になってしまい、復職後は別の部署に転属した」といった事情がある場合、かつての部署の仕事と関わりの深い人物から届いたメールはあえて無視している、ということも考えられる。

　一社会人として、そんな対応がありうるのかと疑問に思うかもしれないが、一人については、実際にそうであったらしいことがあとで判明している。なぜわかったのかというと、同じ出版社にいる別の人物経由で探りを入れたからだ。本来なら、当人に直接、電話で確認すればそれで済む話なのだが、避けられているのかもしれない相手に電話をかけるというのはなかなか勇気のいることであり、苦肉の策としてそういう手段を取ったのである。

探りを入れて情報を提供してくれたほうの人物とは、それほど深い関わりがあったわけでもないのだが、逆にそれが（相手側にもうしろめたさがあまりないという意味で）よかったのか、彼はその後、某週刊誌の書評欄の担当編集者を紹介してくれるなど、ずいぶんいろいろと便宜を図ってくれた（その週刊誌では、今現在も、ごく小さな枠の書評を、一応は記名記事としてしばしば担当させてもらっている）。

また彼は、僕のメールに返信をくれなくなってしまった元担当編集者について、「本人に代わってお詫び申し上げますので、そっとしておいてやってください」とひとこと言ってくれた。僕も彼と同じ立場なら、似たようなことを言ったと思う。僕自身には直接の責任がなくても、また経緯はどうあれ、同じ会社の人間としては捨て置けない非礼を、その同僚は働いたと考えるからだ。

実は、似たような経緯で休職していたということがのちにわかった編集者がもう一人いて、それも同じ版元の別の編集者経由で判明したことなのだが、その人は、連絡が途絶えた当の編集者について、「いっときは休職していましたが、現在はどこそこの部署で元気に働いております」と本人の現況をしれっと伝えてきただけで、同僚が僕に対して犯した不義理をめぐって、謝罪の言葉はひとことも述べなかった。それはそれで、別の意味で唖然とさせられたできごとだった。どうもこの業界には、一般的な社会常識が欠けた人が少なくないような印象がある。

苦慮と遠慮と配慮

最終的には僕は、「この際、自分の名前は出なくてもかまわないし、たとえばゴーストライターのような仕事でもいいから、なにかあれば回してほしい」とさらにハードルを下げて方々にかけ合ったのだが、先述の某週刊誌の書評の仕事を除けば、はかばかしい成果には結びつかなかった（僕が現在手がけているライター的な仕事のほとんどは、別の経路で入手したものである）。

もっともそれについては、弁護の余地もあると思っている。彼らの中には、僕に対する気兼ねもあったのかもしれない。仮にも十数年にわたって、二十数冊の本を出してきたというキャリアを持つ小説家に、自分の名前も出ないようなライター的な仕事などを回してしまって本当にいいのか、と遠慮するようなところもあり、それが理由で具体的な依頼を出しかねていた可能性もある。

実際、最近になって、ようやくゴーストライティングの仕事を持ちかけてくれた元担当編集者の一人は、メールの文中で、「こんなことを平山さんにお願いするのは本当に失礼だと恐縮しているのですが……」とくどいくらいに強調していた。「自分の名前は出なくてかまわないので、僕の〝書く力〟そのものを活用してほしい」とこちらから念押ししていたにもかかわらずだ。

僕はそのあたりは徹底したリアリストであり、今は自分のプライドよりも何よりも、収入があまりに乏しくて困窮《こんきゅう》しているこの状態を、とにかくなんとか少しでもましなものにしたいという切実な思いしかないのに、そのニュアンスを正確に理解してもらえていなかったのかもしれないのだ。

いずれにせよ、やましい思いに駆られる局面からできるだけ距離を取りたいと思うその気持ちもわからなくはないので、彼らのことを一方的に断罪して恨み節を述べるつもりもないのだが、ひとつの事実として、こういうことが言える点は否定できないと思う。――少なくとも文芸の領域で、編集者と呼ばれる人々の多くは、都合が悪くなると、いともあっさりと逃げる。そのことは、ある程度、覚悟しておいたほうがいいだろう。

第3章

作品の設計を怠ってはならない

一枚四〇〇字換算の世界

文芸の世界ではなぜか、原稿ボリュームを表す度《ど》量《りよう》衡《こう》として、四〇〇字詰め原稿用紙で何枚分に当たるかという「枚数」が、今もって現役で使われつづけている。

今どき原稿用紙で書いている人なんて、よっぽどご高齢でＰＣのキーボードになじめないような大御所や、特定のこだわりがある書き手以外にはほとんどいないのではないかと思うのだが、原稿の規模感を手っ取り早く摑《つか》むには、長らく使われてきたこの尺度がなにかと便利なので、それが慣例的に定着しているのである。

その感覚は、デビューできるまでも含めてかれこれ三〇年も、今はなきワープロ専用機やＰＣのワープロソフトを使って小説その他を書きつづけてきた僕にも、すっかり染みついている（アマチュア時代にも、応募する文学賞の「制限枚数」を常に意識していた）。たとえば、文字カウントを見て、前日より四〇〇〇字以上増えていれば、「今日だけで一〇枚書けたからこれでよしとしよう」と思ったり、トータルが八万字ほどまで達すると、「これでだいたい二〇〇枚、全体の半分くらいまで書けた」と思ったりする。

「全体の半分」というのは、文芸の単行本一冊あたりの「枚数」として標準的なのが、四〇〇枚から五〇〇枚程度（すなわち、文字数でいえば一六万字から二〇万字）とされているからだ。

稀《まれ》に、せいぜい二〇〇枚規模の原稿を、文字組みや一行あたりの文字数、また行間などを調整することで引き延ばしてページ数を稼ぎ、なかば強引に一冊に仕立てているようなケースもあるが、そういうのはたいてい、文芸誌に掲載された中篇規模の作品が芥川賞を受賞し、セールスの機を逃すまいとそれ単独で急いで書籍化したようなケースと相場が決まっている。

手に取って読む側としても、標準より目に見えて原稿量が少ない本は、（あくまで体裁の上で）どこかスカスカな印象があり、落ち着いて読めない感じがするものだ。

では逆に、原稿規模が八〇〇枚、あるいは一〇〇〇枚にも達していた場合はどうなるか。「芥川賞受賞作の緊急出版」とは反対に、フォントを小さくして字間・行間を詰め、場合によっては二段組みにする一方、薄い紙を使用して厚みを回避することなどを通じて、どうにか「標準的な一冊」に体裁を近づけることもできなくはないが、現実的には、上・下などに巻を分けるのが一般的だろう。

ただしそうなると、ひとつの作品を刊行するのに、コストが二倍近くかかる。読者がとりあえず上巻だけ読んで飽きてしまい、下巻ばかり大量の在庫が発生するといったリスクもある。出版社としては、できれば避けたいパターンにちがいない。それが許されるのは、（たとえば東野圭吾や林真理子、宮部みゆきなど）すでにその書き手に確固たる名声が確立していて、巻を分けて刊行しても確実にペイできるという見込みが成立している場合にほぼかぎられる。

この章では、まさにその原稿ボリュームをめぐって僕が犯した過ちについて語ろうと思う。

四作目『冥王星パーティ』

二〇〇七年三月、僕はいったん、ホームベースである新潮社に戻って、ファンタジー要素のない青春小説であらためて打って出た。それが、前章でも軽く触れた『冥王星パーティ』である。

実をいうと、四作目に当たるこの小説こそ、本来はデビュー作『ラス・マンチャス通信』の次に、受賞第一作として発表することを想定していた作品だった。その間に二作も差し挟まれてしまったのは、少々複雑な事情によるものだ。以下、話がやや脇道にそれるが、僕がそのときどきの状況にいかに翻弄されていたのかを示すためにも（それ自体がひとつの失敗——少なくともその背景にはなりうるものだ）、まずはそこに至る脈絡を語らせてほしい。

受賞第一作として考えていた『冥王星パーティ』にファンタジー要素を持たせまいとしたことには、明瞭な意図があった。

僕は日本ファンタジーノベル大賞で作家デビューを果たした人間ではあるが、もともとジャンルとしてのファンタジーには格別の興味もなかったし、ファンタジー要素すら、描きたい主題を効果的に描くことに寄与しないかぎり、積極的に援用したいと思っているわけではなかった。

それでも仮に『ラス・マンチャス通信』が売れていたなら、その後も同じ路線を踏襲していたかもしれないが、二作目以降、路線を変えなければならないという点が既定事項になっていた以上、もはやファンタジー要素にこだわる必然性はないと思っていた。

実際に二作目として刊行されたのは、やはりファンタジー要素のある『忘れないと誓ったぼくがいた』だったわけだが、実はこの作品は、僕自身のそうした思惑とは本来まったく別の文脈から発生し、刊行されるに至った作品だった。詳細を語ると長くなるので割愛するが、この作品には陰の協力者がおり、原型となる作品は、僕の作家デビュー前から存在していたのだ。

日本ファンタジーノベル大賞を受賞してデビューした時期を挟んで、いろいろないきさつから宙に浮いてしまっていたその原稿をどうしたものかと考えあぐねていた中、新潮社の担当Ｚさんに泣きついたところ、「ではいっそ、これを受賞第一作としてうちで出しましょう」

と快諾してくれたのである。当然、それに際して改稿は必要になったものの（その段階で僕は、『世界の中心で、愛をさけぶ』をはじめとする「純愛路線」に原稿のテイストをかなり近づけることになった）、デビュー後に一から構想したものではなかった点に注意を促しておきたい。

それとは別に、あらためて三作目として着手したのが『冥王星パーティ』だったのだが、のちに述べるある事情により、この作品の完成は大幅に繰り延べられることになる。その間に僕は世界文化社から『シュガーな俺』の執筆依頼を受け、そちらを先に片づけてしまった。おおよそそんな形で、僕は『冥王星パーティ』に至るまでにずいぶん回り道をすることになってしまったわけである。

「再デビュー」を図る

結果としては四作目になってしまったものの、僕が『冥王星パーティ』の刊行を通じてもくろんでいたことは、一種の「仕切りなおし」にほかならなかった。あまりにも風変わりなデビュー作『ラス・マンチャス通信』のことはひとまず措《お》いておいて、「これからはこの路線で行く」ということを宣言するマニフェストのようなものとして、この作品を位置づけたいという思惑があった。

実際には、間にさらに二作も挟まれてしまったことによって、そこに至るまでのあまりにごちゃごちゃした道筋をいったん整理しなければという気持ちはいっそう高まり、刊行直前の頃にはそれは、「再デビュー」を図ろうとする覚悟にまで育っていた。第１章で触れた、純文学への転身の試みとはまた別の意味で、あくまでエンタメ文芸の分野において、一から出直そうとする心構えだったのだ。

いずれにせよ、新規蒔《ま》きなおしということで、僕はこの作品の執筆に取りかかった当初、かなり気負い込んでいた。そしてあとから思えばその過度な気負いこそが、失敗に結びついてしまったのである。

『冥王星パーティ』とはまた、内容を想像しづらいタイトルと思われそうだが、本作は、二〇一三年に文庫化される際、『あの日の僕らにさよなら』と改題されている。そのタイトルのほうがはるかに、内容をダイレクトに伝えることができていると言っていい。

後述するが、この文庫のほうはどういうわけか実売部数で一〇万部を超える（僕にしてみれば異例中の異例の）ヒット作となり、「新潮文庫の１００冊」にも二年連続で指定されたため、それを読んでくれた人は、もしかしたらこの本の読者の中にもいるかもしれない。

そのタイトルに暗示されているとおり、これは青春時代の「あの日」にひと組の男女が行き当たった失意や蹉《さ》跌《てつ》と、時を経て再会した二人が、それを乗り越えてあらたにそれぞれの道を踏み出していくことをめぐる物語である。

　高校時代に共通の友人の紹介で知り合い、おたがいに読書好きということで惹かれ合った都《つ》築《づき》祥《しょう》子《こ》と桜《さくら》川《がわ》衛《まもる》。二人は「友だち以上恋人未満」よりも距離を詰められないまま、ちょっとしたすれちがいが原因で関係を絶ってしまう。その後、祥子は男性と交際するたびになぜか相手に振りまわされ、気がつけば修復のしようがないほど人生行路が狂わされている。一方、衛は、かつてのナイーブな自分を捨て去り、三〇歳を前にした今では、セックスフレンドが何人もいるようなやり手の証券マンとなっている。

　そんな衛が、ある日ふと祥子のことを思い出し、ネットでその名を検索してみたところ、なにやらいかがわしいサイトに辿りつく。それは女性が自ら撮影した自身のヌード画像などのあられもない姿を公開しているサイトであり、顔まではっきりと写っていないものの、衛はそれが自分の知っている都築祥子その人であることに確信を抱く。あの祥子に、いったい何があったのか——。

　そんな物語だが、実は、最初に着想した時点では、「かつて知っていただれかがネット上に怪しいセルフポートレイトを公開していることに、主人公が偶然気づく」という部分しか、脳内には存在していなかった。

今は交流の途絶えてしまったかつての恋人や友人、あるいは一方的に思いを寄せていた相手などについて、ネットでふと名前を検索してみるというのは、多くの人が経験していることなのではないかと思う。Ｆａｃｅｂｏｏｋなどが一般化している現在なら、本人の情報に辿りつける確率も格段に高まっているだろうが、これを執筆した時点ではまだそれもなかった（Ｆａｃｅｂｏｏｋ日本語版の公開は二〇〇八年）。そんな状況下でネット上に現れうる、ある種の「闇」を表現したかったのだ。

衛や祥子についての諸設定や、二人が高校生時代に交わした交流などについては、すべて、そこから逆算する形で編み出していったものだ。それだけに、今なら考えられないことだが、起稿した時点で、この小説にはまだ輪郭の定まったプロットというものが存在していなかった。「迷走の果てにネット上で衛とつながった祥子が、衛を含む、かつて深い関わりを持った男たちを、現在の居所で開くささやかな宴《うたげ》に招待する」というざっくりとした流れを想定していた程度だった。それ以外はことごとく、書きながら考えていった。

なお悪いことに、先に述べたとおり、僕はこれを「仕切りなおし」の旗印にしてやろうと鼻息が荒くなっていた。書きながらどんどん新しい構想や要素を思いつき、考えもなしにそれを次々に作中に投じていった。「当初見込んでいたよりだいぶ長くなっているな」という自覚はあったものの、「おもしろいのだから、多少長くてもかまわないではないか」と思っていた。

結果としてできあがった原稿を、僕は満を持して新潮社の担当Zさんに託した。一読した彼女は、開口一番、「おもしろかったです」と言ってくれたので、内心でガッツポーズを取った。ところがそれに続けて彼女は、耳を疑うような宣告を突きつけてきた。

「でも、長すぎます。この原稿、現状で八〇〇枚近くあるんですよ。これでは一冊にできません。三〇〇枚分ほど、削り込んでください」

言われてみれば、なにもかもがもっとも

一瞬、何を言われているのかわからなかった。三〇〇枚削る——？　三〇〇枚といえば、短めの長篇小説一冊分にも相当する量ではないか。僕にしてみれば、「半分削れ」と言われているのにも等しいほど、理不尽で無理無体なリクエストに感じられた。

しかし、彼女がそれを求めるのも、当然のことだったのだ。二作目の『忘れないと誓ったぼくがいた』が少しばかり売れたことを除けば、小説家としての僕にはまだ実績らしい実績

がなかった。そういう書き手の作品を刊行すること自体に、一定のリスクが伴っている。そんな僕の作品を、上・下に巻を分けた形でなど、出版できるはずもなかった。

それに、単純に原稿の量が多すぎるということ以外にも、問題はあった。

「個々の場面はどれもよく描けています。平山さんは文章がうまいので、どんどん読めてはしまうんですけど、後半、話が大げさになりすぎていると思います。もう少し規模のコンパクトな展開にしたほうが、この作品のテーマには合っていると思うんです」

リクエストをしゃにむに否認したくなる気持ちの陰から、指摘されている問題点に対する理解がじわじわと迫《せ》り上がってきた。

特に問題視されていたのは、終盤で男たちを宴に招く祥子が置かれている境遇についてだった。初稿では、祥子は数奇な運命を辿る形で、奥多摩の山奥に構えられた豪邸で寝起きしているという設定になっていた。屋敷の持ち主は、大手製薬会社を創業し、巨万の富を得た上で、現在は隠居しているある老人であり、祥子は住み込みで彼の身の回りの世話をしている。そこへ、招かれた衛が訪ねていくわけだ（最終的には、衛は一人でそこを訪れる形になる）。

その構図が、デビュー作『ラス・マンチャス通信』の最終章とあまりにも似ているというのだ。その点に、編集長が苦言を呈しているとも聞かされた。たしかに『ラス・マンチャス通信』でも、語り手〈僕〉が最後に向かうのは、山中に構えられた豪壮な邸宅であり、裕福な老人がそこの主として君臨しているという設定だった。

「自己模倣というのは、作家が絶対にやってはいけないことのひとつ」

編集長は、口をすっぱくしてそう強調していたという。

言われてみれば、なにもかもがもっともだった。脳内にあるイメージを吐き出し、文章化するのに夢中になっていて、僕はほかならぬ自作とのその類似にすら気づいていなかったのだ。

それに、終盤の「奥多摩パート」をめぐるその「大げさな」設定を改めるだけで、必然的にごっそりと原稿量を減らすことができるのは、改稿に取りかかる前から容易に予測できた。山奥の屋敷をめぐっては、ほかにどんな人物が住み込んでいるのか、どんな経緯で祥子はそこで暮らすことになったのかなど、周辺事情の説明だけで膨大な文字数を費やしていたからだ。

苛酷な改稿作業

こうして、大規模なダウンサイジングを中心課題とする、苛酷な改稿作業が始まった。三〇〇枚分減らすというのは、並大抵のことではない。「奥多摩パート」はもちろん、それ以外の場面からも、何人もの重要人物を、最初からいなかったことにしなければならなかった。丹精込めて一度生み出した文章を、「ここはどう描けば最も効果的だろうか」と逐一心を悩ませて絞り出していった描写の数々を容赦なく削り取り、かなぐり捨てるのは、腕や足をもがれるほどつらい作業だった。

あまりにもつらいので、改稿は遅々としてはかどらなかった。それを済まさないことには本にしてもらえないのだから、やるしかない。しかし、原稿に向き合っては意気阻《そ》喪《そう》することとの連続で、心は消耗するばかりだった。前章でも述べたとおり、三作目が世界文化社の『シュガーな俺』になってしまったのは、その作業から一時的にでも逃避したかったからにほかならない。『シュガーな俺』の話が立ち上がったのは、『冥王星パーティ』の改稿に乗り気になれないばかりに、その刊行を無期延期にしているさなかのことだったのである。

しかし、いつまでも目をそらしているわけにはいかなかった。『シュガーな俺』の原稿が手を離れたあたりから、僕はようやく肚《はら》を決めて猛然と改稿を推し進め、言われたとおり、約三〇〇枚分減らした上で、物語をしかるべき落としどころに持っていくという所業を成し遂げた。「直すのがとてもうまいので驚きました」とZさんに褒めてもらえたのが、せめてもの褒賞となった。

その過程で、祥子が最後に衛を招く場所は、奥多摩の屋敷から、ずっと都心部に近い国立《くにたち》市あたりの、一人暮らししているアパートであるという設定に「矮小《わいしょう》化」された。

そもそも『冥王星パーティ』というタイトルは、そうして衛を迎え入れた祥子が、現在の暮らしぶりについて、「まるで冥王星にでもいるみたいな気分」と漏らす場面に由来している。この場合の「冥王星」とは、「この世の果て」といった意味合いだ。そんなさびしい場所で催されるささやかな宴だからこそ、「冥王星パーティ」なのである。

それは、奥多摩の山奥の屋敷で、俗世間とは切断されたような暮らしを送っている祥子がつぶやいてこそ、真価を発揮する台詞《せりふ》だった。国立市のアパートでは、今ひとつその孤絶感を適切に醸すことができないのだが、タイトルとも関係する作品のエッセンスとして、台詞そのものは改稿後も残しておいた。

こうして大きな代償のもとに本になった『冥王星パーティ』だが、売れ行きは悲しくなるほど心細いもので（実売数をちゃんと確認したわけではないが、おそらくそれまでで最低のレベル）、目指していた「再デビュー」など、とうてい果たすべくもなかった。

一部の（特に女性の）書評家などは高く買ってくれたようだし、やはり女性である担当の

Ｚさんも、たぶん単なるお世辞ではなく、「この本がなぜ売れないのか、私にはわかりません」と首を傾げてくれていた。身近な友人・知人の間でも、特に女性から、「今までの平山さんの作品でいちばん好きかも」と言ってもらえた（そうした女性読者の支持を得ることは、僕がこの作品を書く際に最初から意識していたことのひとつでもあった）。

しかし、最後に残るのは結果——売れたか売れなかったかだけだ。この本は、いや、この本もまた、無数の文芸書がしのぎを削る競争にみごとに敗れた。ただそれだけのことでしかないのだ。

つらすぎた経験のトラウマ

この本を書くことにおいて僕が犯した失敗とは、これに尽きる——作品をあらかじめ入念に設計することを怠り、プロットらしいプロットを組んでいなかったために、執筆中に際限なく物語世界が膨張してしまい、結果として苛酷な原稿削減作業を余儀なくされたこと。

これ以降、僕は必ず、本稿執筆に先立ってかなり詳しいプロットを起こし、担当編集者のコンセンサスを得てから原稿に取りかかるようになった。しかもそれは、回を重ねるごとに、ますます詳細で精緻なものになっていった。細かい場面展開やその意味合い、そのできごとがそれ以降の登場人物たちにどう影響したかなどまで、入念に決めておけばおくほど、執筆中に物語が自分自身のコントロールを離れて暴走し、あらぬ方向に膨れ上がってしまうリスクを低減できることを学んでいったからだ。

そして言うまでもなく、僕はそのプロットを、「原稿全体が四〇〇枚からせいぜい五〇〇枚程度までに収まるように」調整することも、おさおさ忘れなかった。経験を積めば積むほど、「このプロットで何枚程度の原稿になるか」という感覚は研ぎ澄まされていき、誤差が少なくなっていった。

僕がひとつの長篇小説について事前に起こすプロットは異様に詳細で、担当編集者を怖気《おじけ》づかせることもあるようだ。なにしろそれは、Ａ４でときには一五ページ以上にも及ぶことすらある。それ自体、ちょっとした短篇小説と言ってもいい分量だ。

それもあって、僕にとって原稿を書くという工程は、最後の華々しい収穫のとき——いわば最も楽しい「花道」にほかならない。何をどう描くかは、あらかじめすでに細部に至るまで決められているのだ。そのプロットをどう組むかで苦労することはあっても、本稿について「どう書くか迷う」という局面は、ほとんど生じえない。よく、「原稿を生み出す苦しみ」などという言葉を目にするが、あれが僕にはピンとこない。それは僕にとって純然たる「作業」にすぎず、ほぼ、単位時間あたりの進捗度合いを一定して割り出せるものなのである。

ただし、このやり方が、どんな書き手にとっても常に好ましいとは、一概には言えない。最初からそうして話の展開などをガチガチに固めておいてしまうと、想像力（あるいは創造力）を拘束され、本来持っている資質を思うように発揮できないというタイプの人もいるだろう。だからこれを無条件に人に勧めるつもりはないのだが、少なくとも僕は、そこまで入念に事前準備を詰めておかないと、安心して本稿に着手できないのだ。

それはひとえに、『冥王星パーティ』での苦い、そしてつらすぎた経験が、今なおトラウマになっているからだ。自分が心血を注いだ文章を泣く泣く、ときには章単位、あるいは登場人物単位でごっそりと削るようなやるせない思いを、二度としたくないのである。

もっとも、『冥王星パーティ』の執筆において僕がやらかしたこの不手際と、この本が売れなかったこととの間には、直接の因果関係がない。僕がこの小説を書き上げるに際して無駄な回り道をしてしまったことは事実だが、そのせいで本が売れなかったとは必ずしも言えない。僕が事前の物語設計を抜かりなく行ない、スムーズに作品を仕上げていたとしても、どのみちこの本は売れない運命にあったのではないかということだ。

それでもときどき僕は、その両者にもなんらかの因果関係があったのではないかと疑うことがある。そしてそれはむしろ、この小説が文庫化され、思いがけずヒットしてからこそ、思うようになったことなのだ。

その脈絡はややわかりづらいものだと思うので、以下に順を追って説明しよう。

売れてしまった！

先に述べたとおり、この小説は、二〇一三年一月に『あの日の僕らにさよなら』と改題された上で新潮文庫に入った。文庫化というのは、単行本が刊行されてから二、三年の間になされるのが一般的だが、この作品に関しては六年もかかっている。その理由は明白で、単行本時代に売れなかったからだ。

単行本の売れ行きにかかわらず、時期が来れば何はともあれ文庫化するという方式で動いている版元もある（それも昨今は、そのかぎりではなくなってきている気配があるのだが）。しかし新潮社の場合、原則として、単行本時代に一度でも重版がかからなかった作品については、文庫化を見合わせるのが普通だ（『シュガーな俺』については、単行本で重版がかからなくても新潮文庫に入ったが、あれは単行本の版元が他社だったから、またケースが異なる）。

『冥王星パーティ』も、そのルールに則れば、本来は文庫化自体がほぼ考えられないケースだったのだ。

ところが新潮社内には、書籍の編集部の担当であったZさん以外にも、僕の小説を支持してくれる人が比較的多かったらしい（そのことは、文庫編集部の担当を通じてくりかえし指摘された）。『冥王星パーティ』についても、単行本が売れなかったからというだけの理由で、そのまま埋没させてしまうのは惜しいのではないか、との声が上がり、時期は遅くなったものの、特例的に文庫化してくれることになったのだと聞いている。

ただし、文庫化には、ひとつだけ条件がつけられていた。「タイトルを、見ただけで内容がある程度想像できるようなものに改めること」だ。

単行本の読者と文庫の読者の間には、大きなプロファイルの違いがある。単行本の読者はいわば「作家主義的」で、「この作家がいい」と思えば、同じ作家の作品を意識的に追いつづけることが多い。しかし文庫の読者にとって、「誰が書いた本か」ということは必ずしも重要ではなく、なんとなくそのときの気分で、たまたま店頭に置かれているものの中から読む本を選ぶのが普通だという。

現時点で僕の名が一定以上の知名度を持っているならまだしも、そうではない中で、『冥王星パーティ』というタイトルの文庫本を出しても、どういう話なのかを適切に想像してもらえず、素通りされてしまう可能性が高いというのだ（この頃から僕は、文庫版にかぎらず、タイトルのつけ方に関してしばしば同じことを求められるようになっていった）。

『冥王星パーティ』というタイトルにもそれなりに思い入れはあったが、タイトルを変えることについて、格別の抵抗は感じなかった。単行本が出てからの六年の間に、僕は一二作もの作品を発表してきており、その時点で、この作品は僕の中ですっかり「初期の旧作」という位置づけになってしまっていたからだ。文庫化してくれること自体はもちろんありがたかったが、正直なところ、それで潮目が変わるとも思えずにいた。何を書いても、何をしてもいっこうに状況が好転しないことに、もはや慣れっこになってしまっていたのだ。

だから内容についても、事実誤認やささいな矛盾などをめぐるいくつかの指摘に応じて微細な訂正を施したのを除けば、改稿と呼べるほどの手はまったく加えなかった。

文庫化される際に、単行本時代とは事実上別の作品と呼びたくなるほどの改変を施す作家もいるようだが、僕は原則として、それを避けている。過去にすでに発表されている作品は、その時点で力を尽くした結果が形になっているものなのであり、その後、場数を踏んだ目で見て落ち度が認められるからといって、事後にむやみに内容を改めるのは、なんとなくフェアではないという気がするからだ。

しかしこの作品に関しては、そういう目で一度徹底的に粗《あら》を探して、虱《しらみ》つぶしに難点を取り除いておくのだったとあとになってから悔やまれた。なぜかといえば、この文庫版が、予想をはるかに上まわる規模で売れてしまい、それだけ広く人の目に触れることになってしまったからだ。

なぜ売れたのかわからない

発売当初は、目立った動きもなかった。だから僕も、「いつものことだ」と受け流していた。それが、半年ほども過ぎた頃を境に、いきなり火がついたように売れはじめた。最初、四〇〇〇部の重版の連絡を受けたときには、かつがれているのではないかと思ってしまったほどだ。それほどまでに、「重版」というのは僕にとってなじみのない事態だったのだ。

どうも、どこか有力な書店で、書店員さんが激推《げきお》しするＰＯＰかなにかが立てられたことが最初のきっかけになったらしいのだが、正確なところはわからない。ともかく、そのブームは瞬《またた》く間に他の書店にも飛び火し、その後僕は半年以上にわたって、毎月のように、ときには月に二度も、「またしても重版です！」との連絡を担当から受けつづけることになった。そしてトータルの刷り部数は、最終的に、一二万六〇〇〇部にまで達した。

もちろんそれは、涙が出るほど嬉しいことでもあったのだが、同時に僕は、その間ずっと、実に複雑な思いを抱えてもいた。

初めて「爆発的なヒット」と呼べる事態を巻き起こしたのが、なぜこの作品だったのか。すでに一六作も発表している中で、この作品が特に優れているとは、僕にはまったく思えなかった。先に述べたとおり、僕にとってこの小説は「初期の旧作」にすぎず、単純に出来のよさでランクづけするなら、自分では下から数えたほうが早いほどの位置づけに置いていた。その後、経験値を積んでから書いた諸作品のほうが、よっぽど洗練されていて、作品としての価値も高いように思えてならなかったのだ。

そういう目で見返してただちに気づいたのは、その時点での僕から見て、この作品の瑕疵《かし》と思われる点の多くが、例の三〇〇枚削減をめぐる苛酷な改稿作業の傷跡にほかならないということだった。

それは、腕や足を根元から切断したり、内臓のいくつかを取り払ったりするのにも等しい、「大手術」とも言うべき規模の大きい改稿だった。僕はそうした切断面の前後を丹念に鞣《なめ》し、大改造が行なわれたことが目立たないようにして、一本の筋が通った物語全体の中に自然に溶け込ませるべく精一杯努めはしたが、少し時間を置いてから読みかえすと、「ああ、ここに段差がある」「ここのつながりが不自然だ」と気になってしまう箇所がいくつも見られるようになっていた。

それが、原稿の元の姿も知っている張本人だからこそ感じ取れるものだということはわかっている。なにしろ僕は、「ここで消された人物がいる」「この場面とこの場面の間に、三〇枚にも及ぶ重要な場面があった」といったことを逐一記憶しているのだ。そんな経緯など与《あずか》り知らない一般読者が、問題の箇所について、僕と同じ精度で同じ違和感を覚えるわけではないはずだ。

それでも、作品の随所に見られるそうした「手術の痕跡」のために、この小説は全体として、どこか不恰好な、据わりの悪いものになってしまっている気がして仕方がないのだ。同じテーマであったとしても、今ならここはもっとこう書くのに、もっとこうすれば、ずっと洗練されたたたずまいになったはずなのに、といちいち歯がゆく感じてしまうのである。

この作品が飛ぶように売れて初めて僕は、まるで学生の頃に若書きした欠点だらけの習作が今になって衆目に晒されてでもいるかのようないたたまれなさを感じた。

結果として売れたのだからそれでいいではないか。そうした欠点があったかもしれないにしても、売れたということは、高く評価されたということなのではないか――人はそう言うかもしれない。しかし僕は、そういう見方に対して常に一定の猜疑《さいぎ》心を抱いている。
売れるということと、高く評価されるということは別だ。「売れる」とは、必ずしも作品のよしあしやそれに対する評価とダイレクトに結びつくものではなく、それ自体として、ときにはオートマティズム的に生じうる現象なのだ。なにかのきっかけでひとたびセールスに火がついた本は、まさに「売れているから」というだけの理由で、しばらくはほぼ自動的に売れつづけるのである。

この本がなぜ売れたのかは、いまだにわからない。タイトルを改めたことがよかったのか、タイミングが絶妙だったのか、それとも最初に書店で立てられたPOPがよほど秀逸だったのか、いずれにしても、いくつかの条件がたまたま幸運なシナジーを呼び起こした結果だったのだろう。

売れたがゆえの無念さ

しかし、そうして結果として広く読まれたこの本が、読者にすんなり支持されたかというと、その点はきわめて微妙だ。事実、ネット上では、手放しで共感を表明してくれるレビューもある一方で、かなりあしざまにけなしているものも少なからず見られた。

もちろん、万人に受ける作品などあるわけがない（もしそんなものがあるとしたら、それはファシズムの表徴《ひょうちょう》であり、かえって気持ちが悪い）。しかし、「たまたま売れた」、つまりそれだけ多くの読者の目に触れたこの本がもし、もっと完成度の高い、洗練されたものであり、その分、読者の満足度を高めることに成功していたなら、否定的な感想の比率をもう少し下げると同時に、「この作家の小説をもっと読みたい」と思わせて、次につなげることもできていたのではないか。そう思わずにはいられないのである。

事実、この本のセールスは、ある時点で、神通力が解けたかのように、急激に失速している。それまでは、一回あたり三〇〇〇部から四〇〇〇部というオーダーで小刻みに重版していた新潮社が、発売から一年半ほどして、いきなり四万六〇〇〇部という強気の増刷をかけると聞いたときには、嬉しいと同時に、「本当に大丈夫なのか」と案じてもいた。不安はみごとに的中し、まさにその増刷分が世に出回った頃から、この本の売れ行きは露骨に落ちていった（当然の結果として、増刷はそれが最後になった）。

いずれかの時点で、「売れているようだが、評判ほどの作品ではない」というジャッジが、読者の間で下されてしまっていたのではないかと僕は思っている。

実は、この本のヒットを受けて、新潮社からは新作の執筆依頼が舞い込んだ。ただし、

「文庫書き下ろし」で書いてほしいというオファーだった。『あの日の僕らにさよなら』への熱が冷めないうちに、早急に次の手を打つ必要があった。単行本から始めてしまったら、文庫化されるまでにタイムラグが発生し、機を逃してしまう。最初から文庫として、しかも『あの日の僕らにさよなら』とテイストも似た平山作品を新規に書店に並べられれば、見込み客に「あの作家だ」と認識させることができ、最も望ましい形で「次につなげる」ことができると彼らは考えたのだ。

　僕はその意を受けて、新潮文庫のために目一杯急いで新作を書き下ろした。もちろん、テイストも可能なかぎり前作に似せた。そうして二〇一五年五月に発売されたのが、『遠すぎた輝き、今ここを照らす光』だった。中学生時代にそりが合わずにいがみ合ってばかりいた男女が、三〇歳を過ぎてそれぞれ石膏《せっこう》像製作職人、大手出版社のビジネス誌編集者という立場になってから、仕事上思いがけず再会し、衝突を再燃させながらもおたがいへの理解を深めていく、という物語である。

『あの日の僕らにさよなら』が僕にとって四作目だった一方、こちらは二二作目であり、当然、僕は書き手としてはるかに熟練していた。執筆も徹底したコントロールのもとに進めることができ、作品としての完成度も目に見えて高かったと思う。今度こそ、ばつの悪い思いをすることもなく正々堂々と読者の前に差し出せると胸を張っていたのだが、この本は（例によって）不発に終わった。

「設計ミスが原因の大手術」は尾を引く

この本が売れなかった原因を、「前作である『あの日の僕らにさよなら』が期待外れに終わったこと」に丸々帰せしめるつもりはない。もともと文庫の読者には、「同じ作家の本を続けて求める」という傾向が稀薄だということもあるし、この本もまた、（その他の僕のほとんどの本がそうであるように）ただ単に、「たまたま売れる」というその幸運なウェーブに乗ることができなかっただけなのかもしれない（一応言っておくと、ネットで見るかぎり、『あの日の僕らにさよなら』よりもこちらのほうが、絶対数が少ないとはいえ、好意的な感想の占める割合が圧倒的に大きい印象である）。

しかし、「もしも『あの日の僕らにさよなら』の完成度がもっと高かったなら……」という仮説は、仮説としていつまでも脳裏に燻りつづける。「設計ミスが原因の大手術」は、かくのごとく、あとあとまでいわば後遺症としてしつこく尾を引いてしまうのである。

なお、『あの日の僕らにさよなら』が売れたからといって、作家としての僕の立場がその後、幾分かでもましになったという実感は、（『遠すぎた輝き、今ここを照らす光』を刊行できたという一点を除けば）正直なところほとんどない。知名度が高まったという感覚すらない。作家主義的な観点から求められるものではない文庫の形で一〇万部かそこら売れただけでは、僕が陥っていた負のスパイラルを抜け出すきっかけにはなりえなかったということだ。

第4章

編集者に過度に迎合してはならない

編集者との特異で不思議な関係性

一八年間に及ぶ作家生活の中で、文芸誌に短篇を寄稿したとか、アンソロジーに参加したといった細かい仕事も含めれば、かれこれ一五社ほどの出版社と関わりを持ってきた。その間、担当になった編集者の数も、試みに数えてみたらざっと三〇人ほどにまで上り、少し驚いた（オファーはあったものの、結局仕事として形にならなかったケースも含めるなら、さらに五人ほど上乗せされる）。

出版社の数より編集者の数のほうが目に見えて多いのは、新潮社のように、単行本と文庫、文芸誌の編集部がそれぞれ違っていて、それぞれに担当が立てられるケースもある一方、本人の退職や部署異動などによって、後任に担当が引き継がれたりもするためだ。

それにしても三〇人とは、もはや個人として人となりなどを把握しきれる範囲を超えている気がするが、幸か不幸か、ゆきずりの関係に終わる人もいれば、新規の仕事の依頼がぱったりとやんで実質的に絶縁状態に陥る人も少なくないため（かつての担当編集者たちの大半は、すでにそういう状態になっている）、どういう人だったかとっさに思い出せなくて困る、といった不具合は、今のところ生じていない。

いずれにしても、小説家になる以上、（自費出版でもないかぎり）担当編集者は必ずつけられる。そしてこの、編集者と小説家という組み合わせは、実に特異で不思議な関係性だと僕はかねがね思っている。この章では、その独特な関係のあり方と、そこから派生する問題——特に、それをめぐって僕がしでかしてしまった失敗について語ろうと思う。

編集者が、発注元としての出版社を背負っている立場である一方、作家は編集者を通じて仕事を受注する側である。その意味では、おたがいがおたがいにとっての「取引先」なのだが、その語彙《ごい》にはどうにもなじまない「仲間意識」のようなものが、この両者の間にはしばしば醸成される。それはとりわけ、文芸書の編集者と小説家の間においてこそ、顕著に現れる気がする。

それを、「パートナー関係」と捉えている人もいる。

たしかに、書き手の資質や特性を理解し、把握した上で、「あなたにはこういう作品が向いているのではないか」「こういう作品を書けばおもしろくなると思う」と示唆《しさ》を与え、ときには細部について一緒に考えをめぐらし、アイデアを出してくれるのは編集者である。創作において作り手と手を携え、ひとつの作品に結実させていくという点で、その立場は音楽におけるプロデューサーとも近い。

詳しすぎるプロットの弊害

そういう捉え方をしている編集者にとっては、前章で触れた、Ａ４で一五ページにも及ぶ僕の詳しすぎるプロットなどは、脅威と感じられることもあるようだ。事実、ある編集者に一度、「あれでは編集者が口を挟む余地がなくなってしまう」と釘を刺されたこともある。

もちろんそのケースでも、僕なりに言い分はあった。僕はなにも、そこまで作り込んでしまったプロットを最初から出し抜けに突きつけ、「今回はこれでいきます」と高圧的に宣言したわけではない。その作品についていえば、根本的な着想自体はむしろその編集者の発案を受けて生み出したものだったし、プロット作成に至るまでに、打ち合わせを通じてある程度のコンセンサスは形成されているものと思っていた。

また、それに応じてプロットを作成したからといって、そしてそれが、細かい点についてまでどれだけ綿密に記述され、隙間なく組まれたものだったとしても、「すべてこのとおりでなければいけない」などと言った覚えは、僕にはない。「ここをもっとこうしたほうがいい」といった指摘を受け、そのとおりだと思えば、いくらでも手直しするつもりでいた（他社では、実際にその段階でプロットに相当程度の直しを入れてから進めたケースもある）。

ただ、それまでの経験からいって、「こんな物語がいいよね」などと漠然としたイメージを語っているばかりでは、いつまでも話が先に進んでいかないことが僕にはわかっていた。いずれかの時点でそれを、「こういう人々が登場し、こういうできごとが起きて、こういう脈絡でこうなる」という具体的な「流れ」として組み立てないことには、それのどこがよくてどこが悪いのか、焦点を定めて建設的に論じることすらできないと思うのだ。

そして僕は、作中に出てくるあらゆる要素を、その流儀でいったんひとつひとつ（「仮に」ということでもいいので）明確に定義して記述するという方式以外の形では、その「流れ」を組み上げることができないのである。

なんといっても、最終的に作品を執筆するのは僕自身なのだ。その僕自身が、「これなら迷いなく本稿に取りかかれる」と確信できる形にひとまずはなっていないと、駒を先に進めることができない。それに対して編集者から意見がつき、結果として流れを改めることになるかどうかは、その時点での僕にとって本質的な問題ではないのだ。

建前としての「作家第一主義」

しかしそれは、僕の側の都合でしかない。それを突きつけられた側が、「こうでなければいけない」と宣告されたような威圧感、ともに作品を作り上げていくべき「パートナー」としての自分の存在意義がないがしろにされたような無力感を覚えてしまうかもしれないというところまで、僕の想像が及んでいなかった点は否定できない（言うまでもなく、そんなつもりは僕には寸毫《すんごう》もなかったのだが）。

僕はおおいに反省して、今後はそういう詳しいプロットに至る前にもうワンクッション置き、「プレプロット」とでも呼ぶべき、意見をつけやすいゆるやかな筋書きを提示することで、編集者との間での文字どおりの叩き台にするという段階を設けようと思い定めたのだが、ちょうどそのあたりで新作の執筆依頼がほぼ途絶えてしまい、その反省を活かす場はいまだに設けられずにいる。

それに、くだんの編集者との間に起きたこのすれちがいの背景には、文芸出版業界に昔から存在している、ある「大義としての不文律」みたいなものもあったのではないかと僕は見立てている。それは、「最終的な決定権を持っているのは作家であり、編集者はそれに力添えをしているだけ」という認識だ。もっともそれは、「認識」というより、「立場」と呼んだほうが適切かもしれない。つまり、建前としてはあくまで「作家第一主義」を貫いているのが編集者である、ということだ。

決定権があるのは誰か

小説家デビューしてまだ日が浅い頃、「書こうとしている新作について自分はこう考えていたが、新潮社の担当編集者であるＺさんに却下されたのであきらめた」「これこれについて、Ｚさんと意見が合わず、取り下げざるをえなくなった」といったことをブログに縷々綴っていたら、次に打ち合わせで顔を合わせた際、当人にこんな苦情を申し立てられた。

「平山さん、あんな風に書かないでくださいよ。まるですべてを私が偉そうに決めてるみたいじゃないですか。決定権があるのは編集者じゃなくて、あくまで作家さんなんですから」

僕はその場では笑ってやりすごしたものの、内心では強い違和感を覚えていた。きれいごとだ、と思ったのだ。

決定権があるのは作家？　――たしかに、売れっ子の場合はそうだろう。出す本出す本が何十万部も売れるようなヒットメーカーなら、出版社もその作家におんぶに抱っこしているようなものだし、本人の意向を優先するのも当然だ。仮にそれが、出版社側の思惑と異なるものであったとしても、その作家の名前だけで一定数は確実に売れることが保障されている以上、ささいな仕様の違いなど、本質的な問題にはならない。そこで意見を押しつけたことで、作家の機嫌を損ね、原稿を引き上げられてしまったら元も子もないという面もある。

だが、相手が売れていない作家だった場合にも同じ流儀が通用するとは、絶対に言えないだろう。編集者に異を唱えられ、それに納得できないからといって、「こうでなければいやです」と作家側が我を張ったところで、ともすれば「それではこの作品をわが社で出版することはできません」と突っぱねられるのがオチだ。

売れるかどうかもわからないその作品を出版しないことによって発生する逸失利益よりも、社の方針に沿わない形でそれを出版したことによって発生する損害のほうが大きいかもしれず、そのリスクをあえて負う義理など、出版社側にはみじんもないからだ。

もちろん、問題とされている点の影響範囲にもよりけりだとは思うが、少なくとも（商品として見た場合の）作品の根幹に関わるような大きな枠組みについて、現時点で売れていない、そして過去に売れたという実績もない作家に付与される発言権あるいは決定権は、ゼロとは言わないまでも、きわめて小さい。そのことは、覚悟しておいたほうがいい。

それでも、「作家さんの意向が第一」という意識——少なくとも建前が、編集者の間にはまかり通っている。だから、詳しすぎるプロットを僕に提示されたくだんの編集者も、「作家本人がここまで作り込んでしまっているのでは、もはや自分になにか意見を言う余地はない」と感じてしまったのではあるまいか。

「発注元と受注先」という意識

ところが、作家としてほとんど常に「弱い立場」でありつづけた僕にしてみれば、担当編集者とは、自分の作品を本にしてくれる命綱みたいなものなのだ。その意向に背けば、作品を出版すること自体がかなわなくなってしまうかもしれない。だからその意向は、可能なかぎり受け入れざるをえない。細かすぎるプロットだって、覆される部分もあるかもしれないということは当然の前提として提示しているものなのだ。

そういう意味で、僕にとって編集者とは、第一義的には、「仕事をくれる人」という位置づけになっている。仕事を進める間に「パートナー」と感じる瞬間もなくはないが、それもあくまで、ビジネスとしての利害関係の上に成り立っている仮構のものなのだという醒《さ》めた認識に根ざすものにすぎない。

ひとつには、僕が私企業のサラリーマンとしてもそれなりに長く経験を積んでしまっていることが、そうした認識に影響を及ぼしているのかもしれない。ビジネスのロジックというものをひととおりは理解しているし、出版社といえども、結局はその仕組みの中に置かれて初めて機能しているものなのだということを、ことあるごとに意識してしまわずにはいられないからだ。

仕事仲間は、友だちではない。重要なのは利益を生み出すこと、それも、僕だけが印税をもらえればいいというわけではなく、出版社側にも利益をもたらす形で「ウィン・ウィン」の関係になることなのであり、その意味においては編集者と作家の関係も、「発注元と受注先」でしかありえないのだということだ。

「こうすれば必ず売れる」という鉄則は存在しない

では、編集者の言うことは常に絶対なのか。売れていない作家は、常に百パーセント、編集者の意向を汲《く》み、編集者が望むがままの形で執筆に当たらなければならないのかというと、決してそんなことはない。事実この僕も、いくら売れていなかったとはいえ、「それは違うと思う」「そういう風にはしたくない」と彼らの意見や提案を拒んだことは数知れずある。

おたがいに意見を言い合って、双方が納得できる落としどころを探っていけばいいのだ。その意見が通るかどうかは別として、「意見を言う権利」まで剥奪《はくだつ》されているわけではない。

ただそこで問題になるのは、文芸書には明瞭な「正解」がないという点だ。

たとえばノンフィクションなら、まず「伝えたい事実」というものがあり、その事実をどういう展開で、どんなロジックで、どんなデータを例証として挙げながら論じていくのが効果的かという問題をめぐって、「これが妥当なのではないか」という判断を下すことは比較的容易だし、その分、編集者と作家の間でも合意を形成しやすい。「正解」は必ずしもひとつしかないわけではないにしても、両者の合意のもとに、いずれかの「正解」に作品をかぎりなく近づけることが可能だ（本業で生計を立てることが厳しくなってから、僕はノンフィクションの代筆なども請け負っているので、この分野にもそこそこの心得がある）。

　しかし、作家個人の想像力を駆使して生み出す創作物――フィクションとしての小説に、「正しい／正しくない」という違いなどがはたして存在するのだろうか。

　「なんでもアリ」の純文学と違って、エンタメ文芸の場合、そうした「正しさ」にも、ある程度の目安はある。たとえば、明瞭な起承転結が見られず、さまざまな場面がただランダムに、無軌道に描かれているだけでは、エンタメ文芸をエンタメ文芸たらしめる大きな「文法」に反しているから、「これは適切ではない」と言うことはできる。また、最近の時流や流行りに照らして、「もっとこういう展開、こういうテイストにしたほうが読者に支持されるのではないか」といった形で日和《ひよ》ることも、ある意味では「正解」となりうる。

　しかし、創作される物語など千差万別で、作者の資質にも大幅に左右されるし、「こうすれば必ず売れる」といった鉄則などどこにも存在しない（もしそれが見出されているなら、世の中には似たり寄ったりの小説ばかりが無数に並ぶことになる。現状、事態はすでになかばそうなりかかっている気配もなくはないが）。

そこで問われるのは、まさに編集者が、その作品をいかに適切にディレクションできるかだ。とはいえ、編集者も人の子であり、個人としての好き嫌いもあるだろうし、それを度外視してビジネスに徹したとしても、セールスに直結する形で「より正しい」方向を常に示せるわけでもない。それが「正解」なのかどうかは、その時点では誰にもわからないし、往々にして、結果が出たあとになってもわからないものなのだ。

それでも、何年も経ってからでさえ、「あれは失敗だった」とほぞを噛《か》みたくなるケースが、僕にもいくつかある。いずれも、担当編集者の意向を汲みすぎて、過度に迎合したことから生じた不手際だ。以下にその実例のひとつを挙げよう。

「縛りはいっさい設けない」

それは、二〇〇七年八月に小学館から書き下ろしとして刊行した五作目の小説、『株式会社ハピネス計画』である。似たような失敗は他の作品でも犯しているのだが、象徴的な例として特にこれを取り上げることにする。

小学館といえば、長らくコミックの出版社というイメージが強く、片山恭一の『世界の中心で、愛をさけぶ』などのメガヒットが出てからも、文芸出版業界では、「後発の邪道」という感じでなんとなく一段低く見られているようなところがあった。「どれだけ売れても、小学館が版元であるかぎり、直木賞は獲れない」と言われていた時期もある。

二〇一一年に池井戸潤の『下町ロケット』が、続いて二〇一四年に西加奈子の『サラバ！』が直木賞を受賞したことでその汚名もすっかり返上され、現在ではその他老舗《しにせ》の文芸の版元とも立派に肩を並べているが、二〇〇七年頃には、まだそのあたりについて懐疑的な空気があった。

その小学館から声がかかったと報告した際には、新潮社の担当であったZさんからも、「あそこから出せば、ものすごく売れるかもしれないけれど、賞は獲得できないと思う。それでもいいのなら、やってみてはどうか」と助言されたことを覚えている。

僕としては、話を受けないという選択肢は考えられなかった。なにしろ声をかけてきてくれた編集者のVさんは、デビュー作の『ラス・マンチャス通信』を読んでたいへんな感銘を受けたというのだ。ぜひ小学館でも、ああいう不思議な作風のものを書いてほしいという。新潮社では方向性として事実上封殺されてしまったその作風を、公然と追求できるかもしれないのだ。

　Vさんはその時点でまだ二〇代の女性だったが、初めての顔合わせの日、なぜか同部署の先輩の女性と連れ立って来ていて、態度も終始心なしかこわばっていた。後日、気心が知れてから理由を訊ねてみたところ、答えはこうだった。

「実は、一人でお会いするのがちょっと怖かったんです。だって『ラス・マンチャス通信』って、ものすごく変な小説じゃないですか。もちろん私はその変さが大好きなんですけど、こんな小説を書くのっていったいどんな変わった人なんだろうって。この作品は好きだけど、この作者には会いたくない、と思ってました。実際には、平山さんはすごくまともで、お気遣いもしてくださる方だったので、拍子抜けしてしまうほどだったんですが、あのときはまだ緊張していて……」

　同種の感想は、ほかにも何人かの編集者から聞かされた覚えがある。「意外と普通の人だったのでびっくり」だとか、「いやあ、こんなに常識的な方だったんですね」だとか。彼らはいったい、『ラス・マンチャス通信』という作品から、どんな浮世離れしたけったいな作者像を思い浮かべていたのだろうか。

　ともあれ、熱烈な『ラス・マンチャス通信』信者を自認するVさんとの間では、話はきわめてスムーズに進んだ。Ｖさんの要望は単純明快で、『ラス・マンチャス通信』のようなねじれた世界観で自由に書いてほしい。縛りはいっさい設けない」という、僕にとってはこの上なくありがたいオファーだった。

前章で述べた「設計ミスをめぐる失敗」がまだ記憶に新しかったこともあり、一応、Ａ４で数ページ程度のプロットは事前に起こしたものの、援用することになる作風に鑑みて、細かい点についてはあえて記述を控えたものにしておいた。『ラス・マンチャス通信』的な奇妙な世界観を、透徹したコントロールのもとに生み出すのはむずかしいと思われたからだ。大枠だけ用意しておいて、あとは自由に想像や連想を遊ばせる必要があった。

性描写へのＮＧ

原稿は、着々と仕上がっていった。エンタメ文芸作家としてはもう駆使することが許されないものと思っていたデビュー作の珍奇な作風——それを解放できることは、実に楽しかった。

物語は、自らの極度な神経質さが原因で生きづらい思いをしている若いサラリーマン・氏《うじ》家譲《いえゆずる》（ウージー）が、失職して辺鄙《へんぴ》な地方都市にある実家に身を寄せていたところ、中学時代の同窓生である、「ロックスター」を自称する破天荒でうさんくささ満点の人物・阿久津《あくつ》武蔵《むさし》に、自宅の離れに公然と住まわせている、暇を持てあました愛人・優璃亜《ゆりあ》の「相手をする」という奇妙なアルバイトを申しつけられるところから始まる。

やがて譲は、武蔵が社長を務める「株式会社ハピネス計画」なる会社で、怪しげな自己啓発グッズを売ったりする仕事に従事することになる。その流れの中で譲は、中学時代、いじめられていた風変わりな元同級生の女性・藤原《ふじわら》たまりと、夢なのかうつつなのかはっきりしない形での再会を果たし、次第にその、幻影とも取れるたまりとの逢瀬《おうせ》にのめり込んでいく。

この、「夢と現実の境目があいまいなところ」をいかに生々しく描けるかという部分に、『ラス・マンチャス通信』とよく似た問題意識の発露があったのである。

その原稿を、書けたところまででいいので読ませてほしい、とVさんは折々に申し出てきた。三割程度まで書けた段階で一度読んでもらったところ、彼女は大枠では「おもしろいです」と言ってくれたのだが、ある場面についてだけ難色を示してきた。それは、譲がたまりと初めて「再会」した場面のクライマックスに当たる部分であり、そこではかなり露骨な性描写が展開されていた。

それをもう少し抑えた、暗示的なものに改めてほしいというのが、彼女の要望だった。

「こういうあけすけな性描写って、読者は引いちゃうんですよ。大丈夫です、描写を控えめにしたとしても、平山さんの文章表現はそれ自体が十分に〝エロい〟ので」

最初に聞いていた、「縛りはいっさいない」という話とはちょっと違うな、とは思ったものの、その言い分はまあわからなくもなかったし、もともと性描写に格別のこだわりがあるわけでもなかったので、そこは言われるまま原稿を改めるだけでやりすごしていた。

外されたハシゴ

しかし、原稿が七、八割まで達した段階でつけられた次の意見には、率直にいって、大きな疑問を感じずにはいられなかった。

「このままだと、けっこう悲惨なバッド・エンディングになるような気がするんですが、あまりそっちの方向に行かないようにしていただくわけにはいきませんでしょうか」

明瞭にプロットを定めてはいなかったものの、当初僕は、藤原たまりはすでに死んでいる、という設定で物語を編み上げていた。たまりは、学校でいじめられていたばかりか、家庭でも虐待を受けており、それを苦に自殺していたのだ。そして、譲がたびたび出会うたまりは、その亡霊、あるいは本人の死後も凝《こ》り固まって成仏できずにいる残留思念のようなものと見立てていた。いずれ譲はその真相を悟り、打ちのめされるのだが、それを克服してあらたな一歩を踏み出す——おおむねそんな流れを構想していた。

七、八割のところといえば、当然、終盤に至るその流れを濃厚に匂わせるような雰囲気が原稿にも横溢《おういつ》していた。Ｖさんは、それを嗅ぎ取ったのだろう。彼女は続けた。

「バッド・エンディングが悪い、と言っているわけではないんです。ただ、何度も言いますが、読者は本当に、エグいものやどぎついものだと尻込みして、そっぽを向いてしまうようなところがあるんです。それで作品を受け入れてもらえなかったら、もったいないと思うんです」

——だったら、そもそもなぜ、〝『ラス・マンチャス通信』のような作品〟を書いてほしいというオーダーを僕に出したのか。あれはまさに、「エグいもの、どぎついもの」のオンパレードではないか。また、語り手〈僕〉の姉などをめぐって、救いがないほど残酷なモチーフも描かれているではないか。

喉元までその言葉が出かかっていた。僕にしてみれば、作品の完成が遠くない段階に至ってから、いきなりハシゴを外されたようなものだったのだ。それでは、根本的な前提が覆ってしまう。まったく納得できなくて、Ｖさんを前にずいぶん長いこと黙り込んでしまっていた記憶がある。

しかし一方で僕は、Ｖさんの言っていることももっともだと感じてもいた。得心しがたいのは、『ラス・マンチャス通信』的なものを要求しておきながら、土壇場でそれをひっくりかえすようなことをＶさんが言いはじめたその経緯についてなのであり、彼女が主張していること自体がまちがっているわけではない、と思ったのだ。

売れている本はソフト路線

第１章で述べたとおり、僕は作家デビューを果たしてから、なじみのないエンタメ文芸の「文法」を習得することを期して、おびただしい数の「売れている本」を読み漁っていた。その多くは、どちらかというとソフトな内容だった。

作中でさまざまな軋轢《あつれき》や挫折、葛藤《かつとう》や懊悩《おうのう》が描かれはするが、「エグいもの、どぎついもの」はほとんど、あるいはまったく描かれず、最後はいろいろな問題が解決し、爽やかで前向きな結末に導かれる――。世の中に広く受け入れられているのは、そういう物語なのだ（前章で触れた『冥王星パーティ』で僕が不器用ながら試みたのも、まさにそういう枠組みの物語を作り上げることだった）。

そういう小説を歓迎する現在の一般的な読者に、僕がその時点で書こうとしていたテイストの『株式会社ハピネス計画』がなんの抵抗もなく受け入れられ、支持されると予想するのは困難だった。

くりかえすが、問題は、それならどうしてＶさんは、そんな無理筋のリクエストを突きつけてきたのかという点にある。それについては、あとになってから次第に腑に落ちていったことがひとつある。

破格の厚遇

先に言っておくと、実は小学館とは、この作品を皮切りに長いつきあいとなり、計四作の長篇小説（同じ小学館で、今はなきコミック誌『ＩＫＫＩ』での連載から単行本となった『魅機《みき》ちゃん』――『パパがも一度恋をした』『忘却のサチコ』などで知られる漫画家・阿部潤さんとのコラボ作品――も含めれば五作）を刊行することになる。しかもうち三作は、文芸誌『きらら』での連載を経ての単行本化であり、その分、実入りもよかった。一作といえども重版がかかっていないことを思えば、驚異的な優遇ぶりだ。

実績もない僕が、小学館からそんな破格の厚遇を受けつづけることができていたのは、おそらく、名物編集者として業界でもよく知られていたU氏の存在に負うところが大きかったはずだと僕は思っている。U氏は『株式会社ハピネス計画』の時点では小学館文芸の編集長であり、その後役員になったのだが、僕のことを小説の書き手としてめっぽう気に入ってくれていて、僕に対しては非常に（「贔屓《ひいき》」と呼んでいいほど）甘かった。たぶん僕は、彼の強力なバックアップのもとに、売れなくても本を出しつづけることができていたのだろう。

しかしそのU氏もやがて定年退職を迎え、うしろ盾を失った僕は、さしもの小学館でも新作を出すことがかなわなくなってしまったのだが、そうなるまでには七、八年の歳月があった。一方、Vさんは、その間、一時的に他部署に異動になっていた時期もあったが、結果としては都合三作、僕の小説を担当してくれている。

「だったらどうして僕に依頼したのか」

そして思い起こせば、彼女との間では毎回、この『株式会社ハピネス計画』執筆中に紛糾したのと似たような軋轢が生じていたと思う。つまり、「だったらどうして僕に依頼したのか」と真顔で問いただしたくなるような大幅な路線変更などを、中途で持ちかけられたのだ。

彼女が『ラス・マンチャス通信』をこよなく愛してくれていたことについては、僕は片ときも疑ったことがない。また彼女が、僕の書き手としての特性の本質的な部分をよく理解した上で、どうにかして僕をブレイクさせようと懸命に策を練り、あの手この手を駆使して尽力してくれたことも、よくわかっている。

ただその中で、彼女は一種のないものねだりをしてしまっていたのではないか。「存在しえないなにか」を、僕の中に幻視してしまっていたのではないか。そう思えてならないのだ。「エグいもの、どぎついもの」を避けたほうがいいというのは、彼女が編集者としての経験を通じてたしかに会得していた肌感覚なのだろうし、それ自体はまちがっていないと僕も思う。ただその法則を、『ラス・マンチャス通信』的なものと両立させることは、どだい無理な相談だったのだ。

彼女はたぶん、「エグいもの、どぎついもの」を、リスクの高い要素として僕の作品から取り除いた上でもなお、『ラス・マンチャス通信』的な本質はなにがしか残り、それを通じて読者の支持を獲得することができるはずだと考えていたのだと思う。しかし僕に言わせれば、その両者は不可分のものであり、逆に「爽やかな『ラス・マンチャス通信』」とは、形容矛盾にほかならないのだ。「爽やかな江戸川乱歩作品」というものが存立しえないのと同じことだ（それはもはや、江戸川乱歩作品ではない）。

『株式会社ハピネス計画』について路線変更を求められたときには、Vさんのそうした真意などを斟酌《しんしゃく》する余裕もなく、僕はただ理不尽に思っているだけだった。しかし、その点についてVさんは、一歩も引く様子を見せずにいたし、先に述べたとおり、そうなるに至った経緯はどうあれ、彼女の言っていること自体は正しいと思わざるをえない読書界の現状もあった。

結果として僕は、Vさんの要求に屈した。納得して受け入れたわけではない。あくまで「屈した」のだ。

一五年越しの悔恨

なお、この作品が今現在もアクティブな状態にあるとはもはや思えないことからいっても、ネタバレに配慮することにもあまり意味はないとは思うが、以下、それに相当する記述があるので、一応注意を促しておく。

藤原たまりは、過去にいっとき不幸な時期はあり、あれこれと苦労はしてきたものの、現在もたくましく生きているという設定にすげ替え、終盤で譲がその生身《なまみ》のたまりと遭遇し（それまでに「会って」いたたまりは、譲の幻想か、もしくはたまりの「生霊」のようなものだったと解釈されることになる）、二人の行く末に甘い予感を漂わせるところで、物語が結末を迎える――僕はそんな形に原稿を改めた。もちろん、そこに至るまでの過程についても、不穏さが薄まるよう適宜に調整した。それが、Vさんのリクエストに応じて僕が原稿に施した改変の内容だ。

原稿はそのまま受理され、大きな改稿もないまま本になった。

しかし僕はあのとき、もっと闘うべきだったのではないか――。この作品については、刊行から一五年を経る今なお、そんな悔恨を感じるときがある。

当初考えていた流れを中途でねじ曲げ、なかば無理やりハッピーエンドに持っていったせいで、この小説は、実に中途半端な仕上がりになってしまっていると思うのだ。作中にちりばめられた諸要素が、ところどころで本筋との間の有機的なつながりを断たれ、ちぐはぐな印象を与える雑音のようなものに化けてしまっている気がする（その点は、三〇〇枚削減という苛酷な「大手術」を施した『冥王星パーティ』に残る傷跡とも通じるものがある）。

早すぎた戦意喪失

最悪なのは、書き上げる前から、そうなるであろうことを僕自身がほぼ確信していた点なのだ。

Ｖさんから路線変更のリクエストを出された瞬間に、僕はこう思っていた。「ああ、いつものあれだ」と。作品を自分の望むままに書こうとする際に、いつも僕の前に立ちはだかってくる「壁」が、今度もまた現れたのだと。そしてそれは、乗り越えることができないものなのだ。無条件に降伏しなければ、先へ進むことさえできない。すなわち、この原稿を本にすることができないのだと。

だから僕は、納得もしていないのに、ただスムーズに本にしてもらうためだけに節《せつ》を曲げ、言われたとおりに原稿を直したのである。中途で戦意を喪失し、闘うことを放棄してしまったのだ。

しかしよくよく考えてみれば、Ｖさんはなにも、「ハッピーエンドにしてください」と言ったわけではない。「現在の流れから想定されるような悲惨なバッド・エンディングから、できるだけ距離を取るようにしてほしい」と言っただけだ。

はたして、この水準で極端に方向転換することまで、彼女は求めていたのだろうか。彼女の意向に歩み寄りながらも、僕自身も納得できる落としどころが、ほかにありえたのではないか。あそこで戦意を失ってさえいなければ、その折り合いがつく最適の着地点を、なお探る余地があったのではないだろうか——。

　何度思い返しても、苦い思いにさせられる経験である。そしてこのケースに見られる失敗の肝は、担当編集者を自分の仕事の「発注元」、自分の原稿を本にしてくれる命綱と意識するあまり、結果としてその意向に過度に迎合してしまった点にある。政権への過剰な「忖《そん》度《たく》」によって、官僚が本来の目的を見失ってあらぬ方向へ迷走し、償いきれない過ちを犯してしまうようなものだ。

　これといった実績のない自分の意見などどうせ通るわけがない、と決めてかかり、あまりにも敗北主義的な姿勢で臨んでしまっていたところもある。だからこの一件について、Ｖさんを責めるつもりは、僕にはない。咎《とが》は、早々に意気阻喪してあっさりと白旗を上げてしまった僕の側にあるのだ。

　立場が弱い（すなわち売れていない）作家であれば、意に沿わない要求や提案でも受け入れざるをえないことがあるのは事実だ。それでも、なんでもかんでも無条件に受諾し、盲従すればいいというものではない。納得できないなら、結果として聞き入れてもらえるかどうかは別にして、言うだけは言ってみることをお勧めする。そうすれば、相手も出方を変えてくるかもしれないのだから。

さて、この『株式会社ハピネス計画』のセールスがどうだったかというと、これも例のごとく、惨敗だった。

そしてこれが売れなかった原因もまた、決して特定はできないのだが、「もしもあの時点で僕が闘いを降りず、作品がこんな中途半端な出来にはなっていなかったとしたら……」という仮説も、例のごとくいつまでも脳裏を駆けめぐってしまうのである。どのみち『ラス・マンチャス通信』的なもの」が、圧倒的多数の読者の支持を得ることはなかったにしても、作品としての完成度がもう少し高ければ、この小説ももう少しは注目を浴びていたのではないかと。

第5章——「編集者受け」を盲信してはならない

「ぜひわが社でも」

ヒットにこそ恵まれなかったものの、僕は概して、編集者からの覚えはめでたいタイプの書き手だったと思う。売れたかどうかにかかわらず、編集者に作品をおもしろいと思ってもらえる確率は比較的高かったということだ。だからこそ僕は、少なくともある時期までは、名だたる出版社から続々と声をかけてもらえ、長篇作品を年に二、三作というペースで継続的に発表することができていたのだ。

その時点ではめざましい業績がなくとも、すでに刊行されている僕の作品を読んで、「こういう作品が書ける人なら、自分がディレクションすればもっと売れるようになるかもしれない」という期待を抱いて、彼ら・彼女らは僕に声をかけてくれたのだと思う。

そして翻って考えてみると、編集者たちが最初に僕に注目するきっかけとなった作品は、ごくかぎられている。

ひとつは『ラス・マンチャス通信』だ。これは受賞作であり、デビュー作でもあるため、注視されるのは当然といえば当然なのだが、一応少しは売れた二作目の『忘れないと誓ったぼくがいた』よりも、こちらのほうが取っかかりとしてははるかに強力だったという点は興味深い。露骨に売れ線を狙っていただけに既視感があったであろう『忘れないと……』よりも、得体の知れない『ラス・マンチャス通信』のほうが、インパクトがずっと強かったのだろう。

『ラス・マンチャス通信』を読んで「ぜひわが社でも」とオファーを提示してくれた編集者は、前章で触れた小学館のVさんを含めて、計一〇人いる（版元としては八社。一部は、同じ社内で部署が違っていた）。これは、ちょっと無視できない数だと思う。結果として立ち消えになってしまったケースも含んだ数だが、本そのものは売れなかったわりに、その後のいくつもの仕事に結びついたという点では、このデビュー作も大きな貢献を果たしているのだ。

もうひとつ、他社での仕事を派生させるという点で小さくない働きをしたのは、二〇〇八年三月に実業之日本社から刊行された六作目の長篇小説、『プロトコル』である。この作品で僕に注目し、声をかけてくれた編集者は三人いて、いずれも女性だった。ついでに言うなら、この小説は少なくとも二人の書評の書き手の篤い支持を獲得することができたのだが、その二人も女性（ライターの瀧井朝世《たきいあさよ》さんと、書評家の大矢博子《おおやひろこ》さん）である。

女性（この場合はプロフェッショナル）からの支持が特に多かったのは、理由のないことではない。『プロトコル』の一人称の語り手は、二七歳の「有村《ありむら》ちさと」という女性であり、このキャラクターの特異な語り口や性格などが、一部の同性からの熱いラブコールを浴びる結果になったのだ。

　そして実をいうと、この『プロトコル』自体、『ラス・マンチャス通信』をきっかけとして生まれた作品だった。実業之日本社の担当編集者は、当初、こういうオファーを持ちかけてきたのである。

「平山さんの作品では、やはり『ラス・マンチャス通信』の主人公の、どこか閉塞したような視点で描かれる世界にいちばん魅力を感じます。あれと似た意味で、主人公がなにか特定のものに執着して、じっと観察する中でなにかが起きてくる——そんな作品を書いていただけないでしょうか」

編集者のリクエストに応える

『ラス・マンチャス通信』の語り手〈僕〉は、なにごとも理路整然と克明に語りはするのだが、どことなく、視野狭窄《きょうさく》を起こして肝腎なものが見えていないかのような印象を与える語りを展開している。冒頭に登場する〈アレ〉なる存在の描き方からしてそうだ。〈僕〉は、〈アレ〉が何をしたかについて逐一ことこまかに描写する一方で、その〈アレ〉が自分にとってどういう関係にある存在なのかは、ひとことも説明していない（第1章で述べたとおり、それは実際には〈僕〉の、同居している兄なのだが)。結果としてそれは、「この人物の語っていることをどこまで信用していいのか」という不穏な感覚を、読者にもたらしているはずだ。実業之日本社の担当編集者が僕に求めたのは、まさにその不穏さだった。そのリクエストに対して僕は、有村ちさとというキャラクターを創出することで応えた。このキャラクターの特徴をひとことで説明するのはむずかしい。それよりは、本人の語り口を一部、例示するほうが手っ取り早いだろう。以下は、『プロトコル』の冒頭部分である。

> 　モント・ブランク、という謎の音に、子どもの頃のわたしは取り憑かれていた。
>
> 　取り憑かれていた、と言うのは大げさかもしれない。でもそれは、ふと気を緩めたときなどに、たいへんな頻度でわたしの頭の中に去来する音だった。お風呂に入って、湯《ゆ》槽《ぶね》でぼうっとしているとき。授業中、メリハリに欠けた先生の話に飽きて、意識が教科書から離れて天井のあたりに漂い出したとき。そういうちょっとした心の隙を突いて、その謎の音はくりかえし、あつかましくもわたしの意識の中に一定の位置を占めた。

この「モント・ブランク」という謎の音は、実はちさとが少女時代、よく出入りしていた父親の書斎で見かけた、〝MONT BLANC〟、すなわち万年筆のメーカー「モンブラン」のインク壺に書かれていた文字を、フランス語とは知らずに頭の中で勝手に英語読みしていたものだったと判明する。それが記憶のどこかに残っていて、思いもかけぬタイミングで意識の表層に浮かび上がってきていたのである。

ここから話は、翻訳家として名をなしていながら、あてのない海外放浪の旅に出たきり行方知れずとなっている父親から、ちさとが幼い頃からいかにして英語の英才教育を受けてきたかというところに飛び火するのだが、その影響もあってちさとは、ローマンアルファベットで書かれたものなら、広告であれ、商品のロゴやイメージコピーであれ、つい反射的に目を通してしまい、そこに含まれる数々のスペルミスや文法ミスを容赦なく槍玉に挙げてしまう。

文字列に対するそうした特異な性癖（見方を変えれば、それは「能力」でもある）を買われ、勤務先のネット通販大手、株式会社ヴィヴァンでシステム管理部に配属されたちさとは、社内の派閥争いに巻き込まれ、自分でも気づかぬうちに、幹部社員の一人を懲戒解雇に追いやる謀略に加担してしまう。結果として逆恨みされたちさとは、解雇された社員による報復の対象となり、大規模な個人情報漏洩《ろうえい》事件に当事者として関与してしまうことになる——。

「期待を上まわるおもしろい作品」

『ラス・マンチャス通信』的なものを求められて書いた小説が、女性を語り手とする、ミステリー風味もあるこのような「お仕事小説」になったのは、自分でも思いがけないことだったのだが、担当編集者は、「期待を上まわるおもしろい作品」と絶賛してくれたし、先述のように、刊行後はプロフェッショナルな女性たちの支持を得ることもできた。

彼女たちには、きまじめで理屈っぽく、四角四面なちさとの語り口が、あまりにもきまじめすぎるがゆえにかえってどこか抜けていて、それがユーモラスで「かわいい」と好評だったようだ。一方でちさとは、人間関係に関しては不器用で、「会社には恋人を探しに来ているのではない」とうそぶいて、出勤時の服装は常にビジネススーツの一択、異性に対しても異様にガードが堅い。その様子にはどことなく、ＡＳＤ的な発達障害の気《け》も感じられるのだが、それも含めて、このキャラクターは非常に愛される存在となった。

その余勢を駆って、二年後にはスピンオフ作品、『有村ちさとによると世界は』まで刊行される運びとなったことには、誰よりも僕自身が驚いていたと思う。

西村京太郎の十《と》津《つ》川《がわ》警部シリーズ、東野圭吾のガリレオシリーズなどの名を出すまでもなく、キャラクターの魅力だけで読者を引っぱっていける登場人物を創出し、基本設定を引き継ぎながら無限に連作を編み出していけるようなスタンスを獲得することは、エンタメ小説家にとっては大きな勝利となる。当該のシリーズを書き継ぐだけで、一定の読者の関心を引き寄せつづけ、作家としての安定した地位をキープすることができるからだ。

しかし僕は、そうした創作のスタイルは自分にはなじまないと思っていた。物語はひとつひとつが「閉じた系」をなすべきであり、一度登場した人物が、別の作品にも当然のように顔を出すのは、どこかズルをしているような感覚が否めないと思っていたからだ。

ただ、有村ちさとに関しては、僕も愛着や思い入れが強く、実際にスピンオフを書いてみると、楽しくて仕方がなかった。雑誌『Ｊ‐Ｎｏｖｅｌ』に連作の形で掲載されたこの作品は、本編とは違って、ちさとの周辺の人物（父親や妹、かつての上司など）にフォーカスを当てた物語ではあったが、各篇の冒頭に必ずちさとが登場し、おなじみの一人称の語り口で、主人公となる人物についてひとくさり論評するという形式を取っていた。ちさとの「語り」こそが求められているということを意識した結果だった。

「シリーズもの」と呼びうる作品を僕が手がけたのは、あとにも先にもこのときだけだ。

編集者と一般読者の温度差

それほど愛された有村ちさとだが、では、作品としての売れ行きがどうであったかというと、『プロトコル』にせよ、スピンオフの『有村ちさとによると世界は』にせよ、惨憺《さんたん》たるものだった。問題はそこなのだ。作家としての僕に多くの仕事の機会をもたらしてくれた二大巨頭と言っていい『ラス・マンチャス通信』と『プロトコル』は、ともに作品としてはちっとも売れていないのである。

ここに僕は、プロフェッショナルな人々（文芸書の編集者や書評家など）と一般読者との間に横たわる温度差のようなものを感じずにはいられない。それこそが、この章のテーマだ。

これは必ずしも、文字どおりの「失敗」というわけではない。現に、『ラス・マンチャス通信』にせよ、『プロトコル』にせよ、その後、いくつもの作品を世に放つことになるきっかけとしては、十分すぎるほどの役割を果たしてくれているのだ。しかし、編集者などから与えられるその評価が、一般読者との間で必ずしも共有されているわけではないという点には、注意を払っておく必要がある。

担当編集者が作家に向けてくる作品の評価などには、そもそも一定量のリップサービスが含まれていると考えるべきだ。担当している作家を持ち上げてやる気を出させることも、彼らの重要な使命のひとつだからだ。しかし、経験を積んでいくほどに、それが単なるおべんちゃらなのか、それとも心の底からの賛辞なのかには、おのずと見分けがつくようになっていくものである。

その中で、「これは本当に褒めてくれているな」と感じられるなら、作家としては、「だったら自信を持っていいはずだ。いやしくもその道のプロである編集者が〝おもしろい〟と言ってくれているのだから」と、お墨つきをもらったような気持ちになるのも道理だろう。『プロトコル』に関しても、僕はそれをはっきりと感じていた。ところが実際には、彼ら・彼女らの評価は、思いのほかあてにならないものなのだ。

どうしてそのようなことが起きるのか。仮にもプロである編集者が、（あくまで「売れるかどうか」という文脈に沿ったことではあるが）なぜそのような読みまちがいを犯すのか。その理由は、なんとなくはわかっている。

温度差が生じる理由

編集者、それも文芸書を担当している人々の多くは、もともと小説を読むのが好きで、本好きが嵩《こう》じてその職を選んでいることが多いと思う。もちろん、特に総合出版を旗印としているような大手出版社の場合は、本当はコミックの、あるいはビジネス書の編集をやりたかったのに、望まずして文芸書の部署に配属されているといったケースもあるだろうが、僕が知るかぎり、ほとんどの場合、文芸書の編集者は、もともと小説好きだ。

当然、小説の読み手としても熟練しているし、多様な作品からその作品固有の魅力を的確に見出して賞翫《しょうがん》することにも長《た》けている。一風変わったところのある作品でも、むしろその一風変わっている点をこそ、長所と捉えておもしろがったりもする。

また、これはやや偏見じみた物言いになってしまうのだが、意識的に小説を読み込んでいるような人々は、性格に一定の屈折を抱えていることが多いのではないかと僕は見立てている。ものごとを斜に構えて見たり、大勢がよしとする視点になんらかの猜疑心を向け、別の角度から光を当てたりする、どこかあまのじゃくなところがあるのだ。

しかし一般の読者は、必ずしもそうではない。彼らが求めているのは、変にねじくれたところのない直球のラブストーリーや、最後には悪役が懲《こ》らしめられてスカッとする物語、あるいは犯行をめぐる謎が鮮やかに解き明かされる、出来のいいミステリーの類なのかもしれない。「売れた本」の場合、その傾向は、とりわけ鮮明に現れるはずだ。ふだんはあまり本を読まない層まで取り込んでこそ、その本は「売れる」のだ。

文芸書の編集者と一般読者との間の温度差——受けとめ方の乖離《かいり》は、そこに発生する。

有村ちさとは、ひとことで言ってしまえば「変わり者」だ。やや偏狭なところがあるし、文字列への執着の仕方などは、見る人が見れば病的で気味の悪い性向にしか見えないかもしれない。そういう主人公には「共感」できないし、感情移入もできないという読者も、少なくないだろう（この「共感」という問題をめぐっては、第7章であらためて論じることになる）。

もちろん、ネット上のレビューなどを見れば、編集者や先に挙げた書評家などとほぼ同じ視点で、ちさとのキャラクターを気に入り、スピンオフである『有村ちさとによると世界は』で再びそれを堪能できたことを喜んでくれている読者も、一定数はいることがわかる。しかし、それが一般読者の中で多数派を占めているとは、お世辞にも言えないのが現状だ。

こうしたことがほかにも何度かあって、僕は次第に、担当編集者が「おもしろいです！」といくら本気で褒めてくれているからといって、それをあまりに真に受けるのはどうか、と一定の留保を加えるようになっていった。ある種の人々から見ておもしろいのは事実だとしても、一般読者の多数派もそれを同じように受けとめるとはかぎらないということだ。

「そろそろ受賞レースに打って出ていく時期です」

　さて、基本的には同じ問題に属する、そしてある意味で衝撃を受けたケースをここでもうひとつ紹介したいのだが、それを語るためには、当該の作品をめぐって僕が犯したもうひとつの失敗についても、触れないわけにはいかなくなる。話がやや込み入ってしまって心苦しいのだが、順を追ってひとつずつ説明していくので、ご了承願いたい。

　ことの発端は、二〇〇七年の春先に遡る。第3章で触れた『冥王星パーティ』が刊行されてまもないくらいの時期に、新潮社の担当であるZさんから、こんな提案を受けた。

「平山さん、そろそろ受賞レースに打って出ていく時期です。直木賞を頂点として、吉川英治文学新人賞、山本周五郎賞などいろいろありますが、やはりなんらかの権威ある賞を受賞しないと、注目を集めて売れつづけるのは厳しいのが現実です。これからは、それを意識した作品作りをしていくのがいいと思います」

　挙げられた文学賞はいずれも、エンタメ文芸の領域において、公募型ではなく、すでに発表されている作品の中から、これぞというものが候補として選ばれ、最終的には選考委員による審査を経て授けられる賞である。そもそも候補に選ばれなければ、受賞のしようがない。その選考に引っかかりやすい条件を備えた作品を意識的に書いていくべきだというのが、Z

さんの提案の肝だった。

Ｚさんは直木賞を例に取りながら、候補に挙がる作品には一定の傾向があり、うちひとつは、なんらかの現代的な社会の様相などを主要なモチーフとして取り上げたものだと指摘した。僕が受賞を狙うなら、そうした方向性の作品が向いているのではないかというのだ（Ｚさんのこの指摘は、至当だったと思う。その後の僕が書く小説は、意外にも、現実にべったりと寄り添った、社会性の高い題材を取り上げたものが多かった）。

そのときＺさんが例に挙げた過去の直木賞受賞作のひとつは、篠田節子の『女たちのジハード』（第１１７回、一九九七年上半期）だった。男性優位社会の中で、それぞれの理想を目指して、各々のやり方で奮闘していく女性たちの姿を描いた群像劇だ。

Ｚさんの言うような意味合いでそれに系列が近い受賞作としては、ほかにたとえば、二〇二一年、惜しくも亡くなった山本文緒の『プラナリア』（第１２４回、二〇〇〇年下半期）などが挙げられるだろうか。これは、さまざまな事情から「無職」になってしまった人々の、屈折した心模様を生々しく描き出した短篇集であり、現代社会をめぐるある意味で先駆的なスケッチでもあった。

第１章で述べたように、僕はデビューしてから大慌てでエンタメ系の「売れている作品」

を読み漁ることになり、この時点ではなおその「修養」過程にあったため、そのあたりの作品にはまだ手が回りきっていなかったのだが、取り急ぎ、『女たちのジハード』はすぐに取り寄せて読んでみた。なるほど、と思った。この作家の、登場人物たちに対してある意味で容赦ない冷徹な書きぶりには、どこか僕自身とも通じるものが感じられ、「こんな感じの作品なら自分にも書けるかもしれない」と思った。

「大人になりきれない大人たち」

そして僕なりに、「現代社会のありさま」を鋭くえぐったものとなりうる小説の構想として考え出したのは、「三〇歳に達しても大人になりきれない大人たち」にスポットライトを当てるというものだった。

二〇歳でとうに成人しているはずなのに、社会人になり、ときにはすでに既婚者となっていてさえ、まるで中高生のような戸惑い多き日々を過ごし、「青春真っ盛り」のように見える大人たち——。それは僕自身が、当時の勤務先などでざらに見かける風景だった。

昔なら、三〇歳といえば、男でも女でもすでに「中年」の域に差しかかっていたものだが、現代の同じ年齢層の人々に、その気配はみじんも感じられない。晩婚化・少子化が進む中、彼らはいつまでも「男の子／女の子」でありつづけようとし、大人になることをどこかで拒みつつ、無限に繰り延べられた青春を生きているように見える。それは、きわめて「現代的な」社会のありようとして僕の目には映っていた。

　彼らのそうした傾向を、僕は「ネオテニー」という生物学用語に託した。ネオテニーとは、「幼形成熟」とも訳されるが、性的には完全に成熟した個体でありながら、生殖器官以外の部分に、幼生・幼体の特徴が残存する現象のことを指している。南米のある種のサンショウウオの幼生としてのアホロートル（別名アクソロトル、いわゆるウーパールーパー）がよく知られているが、それにあやかって、現代人に見られる、「肉体的には成熟していながら、精神構造に幼さが残る現象」を、比喩的にそう呼ぶことにしたのである。

　当初、この小説には、『ネオテニーたちの夜明け』というタイトルが仮につけられていた。そして僕はこの作品を、（『女たちのジハード』のように）群像劇として描くことに決めた。主人公は、ウェブに配信する動画の制作等を請け負っている「株式会社Vサプライ」という企業に勤める、三〇歳前後の男女三人の社員である。

　いい歳をして「大人になりきれていない」という点では、正直、僕自身も人のことを言えた義理ではなかったのだが、当時勤務していた会社には、そういう傾向が目に余る人も少なからず見られた。今だから言うが、三人の主人公にはそれぞれ、会社内にモデルとなる人物が実在していた。物語の構成については、章ごとに視点が切り替わり、三人それぞれの視点から、会社内外でのできごとが語られるという形を取ることにした。

ただし、当時の僕はまさにその勤務先と兼業であり、しかもすでに他社から受注してしまっていたいくつもの仕事をこなしている最中だったため、すぐにはこの作品に取りかかれなかった。翌二〇〇八年の夏頃になってようやく手が空いたのはよかったのだが、まさにそのタイミングで、先述のように、Zさんが編集長に昇進し、僕の担当を外れることになってしまった。

作家として地歩を築いていく中で、僕はZさんの、いちいち時宜にかなった適切な助言の数々をかなり頼りにしていたので、この知らせには相当なダメージを受けたのだが、Zさんはちゃんと、僕と波長の合う後任者を選んでくれていた。やはり女性で、当時、三〇代に入ったばかりだったTさんである。こうして僕は、Tさんのディレクションのもとに、『ネオテニーたちの夜明け』の本稿に着手したのだった。

黒いランチ

自己啓発本にハマり、「デキる女オーラ」を撒《ま》き散らしているが、実際には仕事の要領が異様に悪く、無駄な残業ばかりしている三二歳の既婚女性、冴えない見かけながらカラオケのスキルだけは秀でており、社内の複数の若手女子が「サシカラ」の誘いに応じることから自分を「モテ男」と誤認している三〇歳の未婚男性、そして、無類のＢＬ小説好きで、早々に結婚してしまった夫に飽き足らないものを感じ、社内での「恋愛ごっこ」に興じている二九歳の既婚女性――それが、本作の三人の主人公である。

作中では、この三人が三者三様、自らのアイデンティティを守ろうとして悪戦苦闘するさまが描かれている。そして折々に、「黒いランチ」と題した断章が差し挟まれる。それは、ランチタイムに会議室に集ってきた女子社員が、この三人の「イタくてサムい」ありさまを口々に、サディスティックにあげつらう様子を描いたものだ。

本作は書き下ろしだったので、原稿がある程度の量に達するたびに、中途の段階で何度かＴさんに託し、意見を聞いてから書き進める形を取っていたのだが、Ｔさんは毎回、原稿の余白にびっしりと書き込みを入れてきていた。もちろん、疑問点や意見などもあったが、どちらかというと、場面場面に対する「感想」が目立った。

「……笑」とか、「ひえ〜〜〜っ」「助けてーーー！」「これはイタい！」といった、読んでいて直感的に浮かんできた寸評をその場で書き留めたようなものが中心だったが、それらはいずれも、僕がこの作品で意図したことは、Ｔさんにはまちがいなく正確に伝わっているという確信に結びつく感想だった。ほかにもＴさんは、口頭でこうも言ってくれていた。

「〝黒いランチ〟の部分での、口さがない女子たちの悪罵《あくば》が、現代の若い女性たちが悪口を言うその感じを、口調も含めてものすごくリアルに再現していると思います」

　原稿に目を通しながら、主人公たちと同世代であるＴさんがしばしばおおいに笑ってくれたらしいことも、僕の自信につながっていった。そう、僕は何よりも、読者に笑ってもらいたかったのだ。「こういうタイプの人、あなたのまわりにもいるでしょう？」と水を向けつつ、その滑稽さを克明に描き出すことで、「現代社会」のありようを浮き彫りにすることこそが、僕の狙いだったのだ。「黒いランチ」は、いわば免罪符として用意した断章だった。「彼らのことは笑っていいんだよ」と読者に示すために、あえて遠慮会釈のない罵詈雑言《ばりぞうごん》を並べ立てていたのだ。

　そこに大きな、非常に大きな見込み違いがあったことに僕が気づくのは、ずっとあとになってからの話だ。

もうひとつの失敗

Tさんとの間では、執筆はおおむねスムーズに進み、彼女のリクエストに応じた改稿もあったものの、やがて脱稿した。いつしか、二〇一〇年になっていた。ところがそこで、僕は思わぬ障壁にぶち当たることになる。そこからのいきさつこそが、本章のテーマとは別の、「もうひとつの失敗」に当たる部分だ。

Tさん経由で、今度は編集長として僕の原稿を受け取ったZさんも、この作品を大筋では「おもしろい」と評価してくれていた。ただしそこには、三人の主人公のうち二人が似すぎているから、どちらかの設定を変えるべきではないか、という意見がついていた。

これが僕には、容易には受け入れられなかった。主人公三人中一人の設定を変更するというのは、口で言うほど生やさしいことではない。それはほぼ、一章を丸々書き改めることを意味するし、その主人公が、他の主人公とからむ場面すべてにも影響が及ぼされるわけだ。担当であるTさんとの間では慎重にコンセンサスを形成しながら書き進めてきて、その上でこの形に仕上がっているのに、この段階でそれを一から組み替えろと言うのか――。

第4章で述べたとおり、僕は少し前に、小学館で書いた『株式会社ハピネス計画』で、担当編集者Vさんの要求に納得もしないまま屈してしまうという苦い思いをしたばかりだった。

いくら信頼しているＺさんの意見とはいえ、ここでまた言いなりになってしまってもいいのか。

変に依怙地《いこじ》になってしまった僕は、もちろん、さんざん悩んだ末にではあるが、以下のような回答でこれに応えた。

「Ｚさんの言っていることもわからなくはありません。でも、僕には僕なりの必然性があってこういう形にしてきたわけだし、ここでＺさんの言うとおりにしたら、〝課長に言われてこうしたのに、部長が違うことを言うから、それに合わせてまた変えた〟というのと同じことになってしまう。それは、作家としての僕がすべきことではない気がします」

そう言っておいてから、僕は続けた。

「ただし、Ｚさんにも立場があることはわかっています。その意見をただ無視するというわけにもいかないので、この原稿については、この際、新潮社から引き上げることにします。といっても、喧嘩《けんか》別れがしたいわけではありません。Ｔさんとはひきつづき、これとは別の作品を、新潮社のために一緒に作っていきたいと考えています。遠くない将来、別の案をＴさんに提示することになると思います。そういうことで、了承してはいただけないでしょうか」

その時点では、それが最良の——少なくとも「いちばんましな」事態の収拾の仕方だと僕には思えたのだ。

Ｚさんは、「たしかに、お話を伺うとそのとおりだなと思います」と、この話を受諾してくれた。そして後日、こんな言葉をメールで書き送ってくれた。

「私にとって平山さんは、デビュー当時から担当した初めての作家さんとして思い入れがありましたし、編集長となって立場が変わってからまだ日が浅かったこともあって、〝自分の意見も反映させたい〟という思いから、ちょっと執着してしまいました。申し訳ありませんでした」

Ｔさんも、「間に立つ私がうまく立ちまわれずに、こんなことになってしまってすみませんでした」と頭を下げてくれたのだが、頭を下げたいのはむしろこちらのほうだった。どうしてこんな寝覚めの悪い結末になってしまったのか。でも、僕には僕の、ギリギリのプライドがあったのだ。

今となっては、そのまま原稿を引き上げずに、Ｚさんの意見を容《い》れて再度改稿した上で、新潮社から刊行してもらうのがベストだったのではないかと思えてならないのだが、覆水は盆に返らずだ。ともかく、新潮社との関係が冷え込むことは本意ではなかったので、僕はその後、Zさんとの約束を守り、あらためてTさんを担当者とした長篇の書き下ろしを新潮社から出している。二〇一二年九月に刊行された、『僕の心の埋まらない空洞』だ（この作品については、第7章で詳述する）。

漂流する原稿

さしあたっての問題は、大見得を切って新潮社から引き上げてしまった『ネオテニーたちの夜明け』の引き取り先をどうするかだった。とりあえず、『プロトコル』を出してもらった実業之日本社の担当編集者にメールで率直に経緯を明かし、かけ合ってみたところ、担当者本人は驚くほどの好反応で、「前のめりに検討させていただきます！」と即答してくれた。

ところが、ほっとしたのもつかのま、その次のステップで、事態はひと息に暗礁《あんしょう》に乗り上げてしまった。社内の企画会議に通らなかったのだ。理由は明瞭だ。この年にはまず『プロトコル』のスピンオフである『有村ちさとによると世界は』の単行本が、次いで『プロトコル』の文庫版（当時創刊したばかりだった実業之日本社文庫の、創刊ラインナップに加わっていた）が出たが、どちらもまったく売れていなかったのである。もちろん『プロトコル』は、単行本時代にも売れていない。

この時点ですでに、少なくとも実業之日本社内では、「平山瑞穂は売れない（だからこれ以上、平山瑞穂名義で本を出すことはできない）」というジャッジが下されていたのだと思う。担当者個人の評価や思いだけではどうにもならない巨大な壁が築かれてしまっていたのだ。

二つ返事で原稿を引き受けるようなことを言ってしまっていた手前、実業之日本社の担当は非常に申し訳ながってくれて、個人的な伝手を使って、ＰＨＰ研究所の若手編集者を紹介してくれた。ＰＨＰ研究所といえばビジネス書のイメージが強かったが、この頃には、すでに文芸書にも手を広げ、専門の部署も設けられていたのである。

そして、紹介されたＳ氏は、僕とは面識もなかったにもかかわらず、原稿を非常におもしろがってくれて、改稿もほとんど求められないまま、わりとトントン拍子に刊行が決まった。しかも、数年後の文庫化も、最初から織り込み済みになっているという。願ってもないありがたい話で、捨てる神もあれば拾う神もあるのだな、と実感したことをよく覚えている。

ただし、編集長の意見もあって、改題は余儀なくされた。『ネオテニーたちの夜明け』では作品の内容が想像しにくいので、もっと直截的なものにしてはどうかと提案され、いくつかの案を示された。そのどれも、僕としてはちょっと違和感があったのだが、この際、本にしてもらえるのなら細かい点にはこだわるまいと考え、ある案で応諾した。結果としてこの原稿は、二〇一二年六月、PHP研究所から、『大人になりきれない』として刊行された。

衝撃の指摘

無事、刊行に漕ぎつけたことはよかったのだが、原稿がこちらに引き継がれてから、僕が最初に衝撃を受けたのは、原稿に対する担当S氏の反応だった。もちろん、おもしろがってはくれたし、だからこそ本にもしてもらえたわけだが、それに際して、彼はこういう意味のことを言い添えたのである。

「こういう人はたしかにいるなと思う一方で、〝これはひょっとして自分のことなんじゃないか、人からは、自分はこう見えているんじゃないか〟と不安になります」

正直にいうが、この感想を聞かされるこの瞬間まで、読者の中にそういう反応を示す人がいるかもしれないという発想は、僕の中にはかけらも存在しなかった。いたとしてもわずかであり、おおかたの読者は、「こういう奴、いるいる！」と同感してくれるだろうと思っていた。僕は、彼らにそうして笑ってもらうことだけを想定して、例の三人を描写していたのだ。

S氏の反応に一抹の不安を覚えながら、僕はこの本を世に放った。身近な人々の間では、おおむね好評だった。それはひとつには、同じ職場だった元同僚などの場合（この時点で、僕はすでに勤務していた会社を退職していた）、モデルが誰であるかが自明で、それがおもしろかったからという楽屋オチ的な側面もあったとは思うし、いずれにしても、僕が日ごろ親しくしている人々は、ものごとの感じ方などが自分と同質であることが多いから、それもある意味で当然のことだったのだ。

★1レビューに打ちのめされる

ところが、ネットでレビューを見たとき僕は、多くの読者が、むしろS氏と似たような反応を示していることにわが目を疑った。いわく、「この三人はたしかにイタいけど、自分も陰では同じように言われているのかなと怖くなる」「誰だって大人になりきれない部分は持っていると思う。自分も含めて、誰しも似たり寄ったりなのでは？」「自分も会社勤めしていた頃はこうだったのかもしれないけど、自分なりに一所懸命だった」などなど。

僕は唖然として、ある意味でそれに打ちのめされてしまった。

某ネット書店にアップされたレビューは特に手厳しく、「私は書かれている側の人間にシンパシーを感じて、筆者の傲慢《ごうまん》に腹が立った。作家にも関《ママ》わらず、イタいという、個性を殺す言葉を好む筆者に軽蔑《ママ》した。おそらく二度と読まないだろう」と★ひとつで一刀両断していた。

一応、弁明しておくが、僕が本作で「イタい」という語を使用したのは、「黒いランチ」などにおけるカギカッコ内の話し言葉の中だけのことだ。それは、主人公三人のような人々に対して、こうした文脈で使用される嘲《あざけ》りの表現として、その言葉が現在の世相に照らして最もアクチュアルなものだという認識に根ざして採用したものにすぎず、僕個人がこの語彙をことさらに「好んで」いるわけではない。

また、「傲慢」と謗られることにも、最初は違和感を覚えた。僕はただ単に、「こういうタイプの人も存在するよね」と指摘しただけのつもりだったからだ。しかし次第に僕は、自分がたしかに「傲慢」であったことを認めざるをえなくなり、このレビュアーが言っていることもゆっくりと胃の腑に落ちてきた。

僕は、世間の多くの人々は、僕と同じ視点で、三人の主人公のことを笑ってくれるものと思い込んでいた。ところが実際には、彼らの多くは、むしろこの三人に近い側にいたのだ。そのことが僕には、まるでわかっていなかった。それをわかったつもりになっていた僕は、たしかに「傲慢」きわまりなかったのだ。

くだんのレビュアーは、こうも言っている。「自分の尺度が頑丈で、強い人間から見れば、大人になっても未熟で、未だ青春を送る人間が痛く見えるのだろう」――そうなのかもしれない。僕は、なにかにつけ迷ってはしくじってばかりいる自分のことを、ことさらに「強い人間」だなどと思ったことはないが、僕が見立てていたよりも、世の中の人々の多くは「弱い」のかもしれず、僕は自分が思いのほか「強い」ことを、少なくとも、彼らから見れば「強い」人間に見える側に属しているということを、自覚していなかっただけなのかもしれない。

致命的な欠陥

新潮社のＺさんのもとでこの作品を構想した段階では、なんなら直木賞も射程に入れるくらいの勇み足な心構えだったが、版元が文芸大手ではないＰＨＰ研究所になった時点で、当初のその目標はだいぶ遠ざかってしまっていた。しかし、その点を度外視しても、この作品がそうした水準に達することは、きわめてむずかしかっただろうと今では思える。

なぜなら、そうした大きな賞を獲得する際に求められる「普遍性」において、この作品には致命的な欠陥があったからだ。一部の読者には受けたと思うが（ネット上にも、僕の狙いどおりに受けとめてくれているレビュアーがわずかながら見られた)、多くの読者が共有できるなにかをこの作品が持っているとはとうてい言えなかった。僕は、一般読者の像というものを、根本から見誤っていたのだ。読者が求めているものが、まるで見えていなかった。僕が作家になって最も反省させられたのは、このときだったと思う。

「受賞レース」に参戦するに際して最初に参照した『女たちのジハード』もまた、ある意味では残酷な視点で描かれている作品だと今でも思う。しかし、篠田節子の筆致には、登場人物たちが、さまざまな不如意《ふによい》に翻弄されながらも、どうにかして自分なりの最善の道を切り開こうとしているさまを、親身になって辛抱強く見守るようなやさしいまなざしも同時に備えられていた。それに比べて僕の書きぶりが、あまりにサディスティックな方向に寄りすぎていたことは、どうにも否めない。

当然の帰結として、この作品が多くの読者からの支持を得ることはなかった。それでも二〇一五年一月には文庫化されたが、その際にはやはり編集部の意向で、『夜明け前と彼女は知らない』と改題されている。新潮社時代の原題である『ネオテニーたちの夜明け』よりさらに、内容が想像しにくいタイトルになっているのではないかと疑問に感じたが、僕の異論はあえなく却下された。単行本が売れなかった分、とにかく「装いを変えて巻き返しを図りたい」という意向が強かったようだが、文庫の売れ行きも悲惨だったのではないかと思う。

世間と一致しない視点の位置

この作品に関してただひとつ、引っかかる点があるとすれば、新潮社の管轄下にあった時期には、担当のTさんからも、編集長のZさんからも、「これでは一般読者からの共感を得られないのではないか」といった視点からの懸念は、いっさい示されていなかったということだ。

それに近いことがあったとすれば、Tさんから、原稿の構成についてある意見をつけられたことくらいだろう。

当初僕は、一人目の主人公の一人称による章から原稿を書き起こし、それが終わってから初めて、三人の主人公を女子社員らが陰口で吊し上げにかかる断章「黒いランチ」を挿入していたのだが、Tさんは、冒頭部分にまず「黒いランチ」をひとつ配置したほうがいいと言ったのだ。それがないと、読者はおそらく、まずは最初の主人公に感情移入しようとして読みはじめてしまう。その主人公は「笑っていい存在」なのだと最初に示しておいたほうが、読者の当惑を避けられるというのが、彼女の意見だった(僕はその意見に従った)。

そこには、読者の当惑を見越すという形で、くだんの懸念につながりうる視点がほの見えなくもないが、それ以上、その点が取り沙汰されることはなかった。それはとりもなおさず、新潮社の編集者たちも、僕と同様、一般読者の像を必ずしも正しく認識できてはいなかったということを示唆しているのではないだろうか。

思うに、彼ら・彼女ら（編集者や書評家など、プロフェッショナルな人々）の多くは、一歩距離を置いて、批判精神をもってものごとを斜めから、シニカルに見る余裕のある「強い」人々なのだ。もがきながら生きていくので精一杯なのであろうくだんのレビュアー——それは、おそらく一般読者の代表でもある——とは、視点の位置が違う。

そういう意味で、「編集者受け」を盲信してはならないと僕は言うのだ。編集者は、ざっくりいえば小説家自身と同じ側にいる。その視点や受けとめ方が、世間一般と必ずしも一致はしないということを、忘れてはならない。

コラム　配慮と我執のあいだ

愕然とさせられた装幀デザイン

前章で取り上げた『プロトコル』については、今でも猛烈に悔やんでいることがひとつある。作品の内容についてではない。できあがった本の装幀をめぐる問題だ。単行本のときはよかった。白地を背景に、コルクのついたなにかのキャップ状のものをつまんで持ち上げる女性の手を接写した写真が主要なモチーフとなっている、とてもしゃれた装幀だった。キャップには、競走馬とそれにまたがる騎手の姿を象《かたど》った、金色に輝く小さな彫像のようなものが据えつけられている。

本編を読んだ人には、それがなんのキャップであるかがやがて了解できる仕組みになっている。これは「ブラントン」という名の高級バーボンウィスキーのキャップなのだが、このブラントンというお酒が、作中では重要なシンボルとして扱われ

『プロトコル』単行本版（右）と文庫版（左）

ているのである。

前章で述べたとおり、語り手・有村ちさとの父親は、世界周遊の旅に出たまま何年も家に戻っていないのだが、本人は、その旅には「ブラントン将軍」なる人物を伴侶にしていると述べている。しかし、そんな人物など実在しないことをちさとは知っている。父親は精神を病んでおり、妄想の中で、いもしない人物と行動をともにし、言葉を交わしているのだ。

ところがある日ちさとは、上司に新宿・荒《あら》木《き》町《ちょう》にあるバーに連れていかれた際、「ブラントン」と呼ばれるウィスキーが存在することを知る。しかもそのキャップの形に、見覚えがある。似たような形をしたものが、父親の書斎の、本棚の余白部分にいくつも並んでいたのだ。父が言う「ブラントン将軍」とは、このキャップのことにほかならないのではないかとちさとは考える。

そんな作中のエピソードを巧みに切り取り、美しい装幀として具現化したデザイン事務所の卓越したセンスに、僕は心底、感嘆したものだ。

しかし同じ『プロトコル』でも、文庫化の際は話が大きく違っていた。競走馬と、前のめりになってそれにまたがる騎手の前半分を描いたイラストが、大きく取り上げられただけのものだったのだ。

すでにこの作品を読んでいる人、特に、単行本でそれを読んでいる人なら、このイラストを見ただけで、「ああ、ブラントンだな」と察しがつくかもしれない。しかし文庫版は当然、単行本未読の人を対象にしている。不思議な形をしたお酒のキャップらしきものが写っていれば、「なんの話だろう」と興味を抱かせることもできるだろうが、競走馬と騎手のイラストでは、なんのイメージも湧いてこない。いやむしろ、「競走馬と騎手」のイメージしか湧いてこない。

言うまでもなく、『プロトコル』は、競走馬と騎手とはなんの関係もない物語だ。

それらはあくまで、ブラントンというお酒を通じて、ちさとの父親と結びついているという意味で奥行きのあるモチーフとなりうるのであって、競走馬と騎手自体が重要なわけではまったくない。

　単行本を刊行したのちの読者などからの反応を見て、読者の多くは有村ちさとというキャラクターそのものに惹かれているということも、すでにわかっていたはずだ。それなら、もっとちさと本人のイメージをフィーチャーしたものにするなど、やりようはいくらでもあったのではないかと思う。

疲弊と妥協

　カバーのラフができたと言われて初めてこの装幀のデザインを目にしたときには、僕は当然、やや愕然《がくぜん》とさせられ、これはいったいなんのつもりなのかと目を疑った。「これでは作品の、わけても有村ちさとの魅力が少しも伝わらない。これでは話にならない」と全身がダメ出しをしたがっていた。しかし僕には、それをすることができなかった。

　会社員と兼業の中、次から次へと降りかかってくる作家としての仕事に追われ、僕自身が疲れきっていたことも一因ではある（この一年半ほどのちに僕は、体力の限界を感じて職場を辞し、作家専業となっている）。このデザインのどこがいけないのか、どうしてほしいのかを、筋道立てて説明する気力に乏しかった。しかしそれより何より、実業之日本社の担当がこの時期、殺人的と言ってもいい多忙の中に置かれていることを知っていただけに、つい、それ以上の負荷をかけることを憚《はばか》ってしまったのである。

当時、僕の担当編集者は、この『プロトコル』文庫版も含め、内田康夫、堂場瞬一、柳《やなぎ》広《こう》司《じ》などによる九作品からなるラインナップでスタートする実業之日本社文庫の、立ち上げの旗振り役に任命され、昼も夜もないような暮らしに追い立てられていた。このカバーラフが出てきたのも、刊行スケジュールに照らせばギリギリと言っていいタイミングだった。しかも、「ラフ」と言いつつ、あらたに描き起こしたものらしい、すでに完成しているイラストが使われていて、事実上は装幀としても完成品に近い体裁になっていた。

いちばんの問題は、まさにそのイラストなのだ。それをコンセプトから何からすべて改めたものに差し替えてほしいと願い出たところで、はたして今から物理的に対応が可能なのか。僕は勤務先で、ダイレクトメールの制作などにも従事した経験があるので、印刷物をめぐる納期等のタイトさもあらかたわきまえていた。この段階でそんな要求を突きつけたりしたら、「土壇場で無理無体なダメ出しをしてくる困った作家」としての烙印が捺されはしまいか。担当編集者も、キャパ超えを起こしてどうにかなってしまうのではないか――。

ＰＣを前に数時間、呻吟《しんぎん》したあげく、僕は結局、「これでけっこうです」と返信して、まるで納得できていないこのカバー案をそのまま通してしまった。

後悔という名の亡霊

デザインを担当したのは、単行本のカバーと同じデザイン事務所だった。それでどうしてこれほどの落差が発生したのか、その経緯はわからないが、担当編集者によるディレクションの問題だった可能性が高いと僕は見立てている。つまり、デザイン事務所は、「こんなイメージで」と担当編集者から具体的に指示されたままのものを提示してきたにすぎないということだ。

膨大な仕事に溺《おぼ》れそうになっていた担当編集者が、ひとつひとつの案件をじっくりと吟味する余裕もないままに、「えいやっ！」とばかりやっつけで片づけてしまった中に、このカバーも含まれていたのではないか。真相は不明ながら、これについては、どんなに恨まれてもかまわないから、言うべきことを言っておけばよかったと今なお後悔している。

もちろん、カバーひとつで売れ行きなどにそれほど劇的な差は生じなかったかもしれない。それでも、「このカバーはないだろう」と今でも見るたびに思うのだ。これまで何百回、同じ後悔を感じたかわからないほどだ。

事実、ネットで文庫版のほうのレビューを見ていると、「表紙の意味がわからない」「最初見たときは、競馬の話かと思った」といった記述がかなりの頻度で出現する。せめて、「会社で働く若い女性の話」なのだということだけでもカバーで伝えることができていたら、もう少しは一般読者から手に取ってもらいやすくなっていたのではないか。

第4章からのくりかえしになるが、いかなる状況下であれ、納得できないことは、ちゃんと言葉にして伝えたほうがいい。やれることはやれるだけやったという自覚があれば、結果として売れなかったとしてもあきらめもつこうものだが、そうでなかった場合、「もしもあのとき、ああしていれば……」という思いは、その後もずっと、亡霊のようにつきまとってくることになるのだ。

第6章——オチのない物語にしてはならない

デビュー作の引力

エンタメ文芸の場合、「明瞭な起承転結」が求められるということは、すでにくりかえし述べてきた。もう少し詳しく言うとそれは、物語にメリハリのついた起伏がなければならず、はっきりそれと見て取れる物語上の終着点がなければならないということだ。つまり、オチらしいオチが必要なのだ。

そして、オチをオチたらしめるためには、作中に張りめぐらせた伏線を、すべてきれいに回収する必要がある。「あれはどうなったの?」という疑問を読者に残すような形にしてはいけないのである。たとえ、そこはあえて明示しないほうが物語のたたずまいとしては美しくなるはずだ、という確信があったとしても。

この章では、その問題について述べようと思う。そのために、また拙作のいくつかを例に取りたい。まずは二〇〇八年九月、角川書店(現KADOKAWA)から刊行された七作目の長篇小説、『桃の向こう』である。

以下はやや余談になるが、二〇〇七年、角川書店の人々と初めて顔を合わせたときのことが、強烈な印象とともに脳に刻みつけられている。このことには、のちに僕がこの版元からあっさりと切り捨てられた経緯との対比という意味でも触れておきたい。

当日、会社での勤務を終えて待ち合わせ場所である喫茶店に向かった僕は、待てど暮らせどそれらしい人が姿を現さないことに不安を覚えていた。どうも、メールで知らされていた時間を覚えまちがえて、早く来すぎてしまっていたらしいと見当がついたのだが（兼業で時間的にも体力的にも余裕がなく、ギリギリで行動していた当時は、よくそういう不手際をやらかしていた）、タブレットもなかった当時、その場では本来の約束時間を確認する手段もなく、せめて場所をまちがえていないことを祈りながら、ただじりじりと待っていた。

小一時間ほどすると、彼らは恐縮しながら急ぎ足に僕の正面へと歩を進めてきた。おそらく、先に席に着いているようにすべく早めに出てきたにもかかわらず、僕がすでに来ていたので慌ててしまったのだろう。僕は急いで事情を説明し、彼らに非がないことを強調しなければならなかった。

印象が強かったのは、彼らが「大勢でやってきた」と思ったからだ。五、六人の集団で現れ、僕の正面にズラリと並んでいたかのように記憶していたのだが、今になって確認すると、実際には、雑誌『野性時代』の編集長と担当編集者、それに書籍の編集部で僕の担当になることが決まっていた編集者の三人にすぎなかったようだ。

それまで、出版社のだれかと会う際には、初めての顔合わせであったとしても、担当編集者が一人で現れるケースが普通だったので、三人だけでも「大勢」というもののしい印象になってしまっていたのだろう。いずれにしても、彼らのその姿勢には、「これから総力を挙げてあなたをバックアップしていきます」とでもいったニュアンスが感じられた。

事実、『野性時代』の編集長が自ら、出会い頭にまず滔々《とうとう》と賛辞を並べ立ててくれたような記憶がある。細かい点までは覚えていないが、その多くは、『ラス・マンチャス通信』をめぐるものだったはずだ。彼らもまた、このデビュー作をきっかけに僕に注目し、「この作家は売れるはずだ」という期待を抱いてくれていたのだ（少なくともその時点では）。

習作の再利用

さて、初顔合わせの際に提示されたオファーは、『野性時代』への連載を経て書籍化できるような作品を書いてほしい、というものだった。たしか編集長は中途で退席し、その後は担当者二人とともにどこかで夕食を摂りながら、詳細について打ち合わせたのだったと思うが、正直、あまりよく覚えていない。なにしろ文芸誌（それも、『野性時代』のような老舗の有名どころ）に連載した作品を本にしてもらえるというのは初めての経験であり、興奮していたのだ。

もっとも、まだサラリーマンと兼業で、連載の経験もなかった僕には、毎月原稿を提供できる自信はなかった（一、二年後にはすっかり慣れて、それも難なくこなせるようになっていたのだが）。不定期に短篇の連作を掲載する形でもかまわないということだったので、ひとまずは短篇を一本、書くことになった。

ざっくりと、青春小説的なものにしたいという意向はすでに決まっていた。そのときふと思い出したのは、アマチュア時代、それもかなり初期に書いた、『桃の向こう』という短篇小説だった。

ちなみに、作家デビューできるまでの一三年間に僕が書いた作品はかなりの点数にのぼっており、デビュー当時は、これなら当分はネタに困るまいと思っていた。ところが実際には、そううまくはいかないことが多かった。

第一章で述べたとおり、アマチュア時代の作品群はほとんどが純文学系の新人賞向けに書いたもので、エンタメ文芸としての「文法」を適用した作りにはなっていなかったし、そうでなくても、プロとしての経験を積んでから読みかえすと、至らない点が多々見受けられ、「これを手直しするくらいなら、ゼロからあらたに書き起こしたほうがはるかに楽だ」という判断に至るのが普通だったのだ。

しかし、その『桃の向こう』は、プロの目で見てもわれながら悪くない出来栄えであり、これなら十分、使用に耐えると思った。もちろん、それをただそっくり『野性時代』向けの原稿にしたわけではなく、生硬《せいこう》な箇所を書きあらためたり、独りよがりな部分に説明を補って補強したりはしたものの、大枠としては、元のままの形を活かすことができた。ほんのり不条理小説の香りもする作品だったが、短篇ならばそれも許されるだろうと思った。アマチュア時代に書いた作品を再利用することができた、稀有なケースのひとつだ。

あとから思えば、この時点ですでに、禍《わざわい》の種は仕込まれてしまっていたのだ。

「桃の向こう」と『桃の向こう』

結果として『野性時代』に掲載された短篇小説『桃の向こう』は、こういう内容である。

――大学生・来《くる》栖《す》幸《ゆき》宏《ひろ》は、同じ講義を受講していた女子学生・仁《に》科《しな》煌《あき》子《こ》に惹かれ、親しくなっていくが、デートを重ね、キスを交わす間柄にまでなっていながら、彼氏・彼女として相手を束縛しながらつきあうような関係性のあり方に疑問を抱いていたばかりに、「つきあってほしい」のひとことがどうしても言えず、自己の信念と煌子への独占欲に引き裂かれていく。そんな中、元来、行動的で好奇心旺盛だった煌子は、どことなく新興宗教めいた色合いを帯びる学生団体でのボランティア活動にのめり込んでいき、それがきっかけとなって、二人の関係は瓦解《がかい》する。

それから一〇年ほどして、大学を卒業しないままフリーライターとして身を立てていた来栖は、タウン誌向けの取材としてある町工場を訪れた帰り道、うっかり雑木林の奥深くに迷い込んでしまう。そこに忽然《こつぜん》と現れた、収穫直前の実をたわわに実らせている桃林の中を進んでいくと、その先には児童養護施設風の建物があり、そこで大勢の子どもたちに「先生」と呼ばれて囲まれていたのは、化粧っ気もなく野暮ったい出で立ちをした仁科煌子その人だった――。

それだけの物語である。来栖と離れてからの煌子が、どんな生活を送り、どういう経路を辿ってそこに行き着いたのか、現在の立場が正確にはどういうものなのかについては、いっさい説明していない。

結果として僕は、この短篇『桃の向こう』の世界を膨らませ、描かれていなかった隙間の一〇年間の部分を埋めていくような形で、『野性時代』に連作を書き継いでいくことになる。そして最終的には、この『桃の向こう』自体をプロローグとして冒頭に掲げ、四篇の短い物語にエピローグを添えた構成で、一本の長篇小説を完成させた。それが、書籍としての『桃の向こう』である。

僕はこの小説を、当時の三〇歳前後の読者に読まれることを意識しながら書いた。そのため、作中人物の年齢層は、いわゆるロスト・ジェネレーションに相当する。その世代の若者たちが、大学生から社会人初期に至る一〇年間をいかに駆け抜けたか——僕が描こうとしたのはそれだ。ロスト・ジェネレーションは、いわゆるバブル世代である僕自身から見れば一〇歳ほど下の世代に当たり、その感覚が摑めずに難儀したきらいもあるが、世代が違っても、人が青春時代に感じることにそれほど本質的な差はないだろうと見立てていた。

もちろん、プロローグに当たる「桃の向こう」以外は、すべて新規に書き起こしたものだ。その中で僕は、多々良《たたら》晃司《こうじ》という新しい登場人物を加え、来栖と煌子、そして多々良という三人それぞれを主人公にして、三人それぞれの視点でエピソードを語っていくという形を取った（これは、僕がその後もしばしば援用することになる群像劇という手法を、初めて試してみた作品でもあった）。

多々良は来栖とは対照的な人物造形で、来栖とも折り合いが悪いのだが、実はこの男も、煌子とスレスレのところまで接近した時期があった。経験の幅を広げることにこだわり、ひとまずなんでも試してみる性格の煌子は、軽佻《けいちょう》浮薄《ふはく》な男子である多々良からの誘いにも応じるのだが、一方では、恋愛にうつつを抜かす周囲の女友だちに辟易してもおり、「つきあう」ことをただちに求めてこない変わり種《だね》の来栖に、理想的な伴侶としての可能性を見出してもいた。

しかし煌子はやがて、その来栖にもなにかしっくりこないものを感じはじめる。煌子が主人公を張る唯一の章は、来栖に感じた違和感の正体を突きとめようと煌子が考えを巡らせているところで幕を閉じる。そしてそれ以降、煌子は二度と作中に登場しない。

物語の後半は、来栖と多々良とのその後を追っていく形で展開する。そしてこの、水と油と言っていい二人の男子は、思いもよらぬきっかけを通じて幾度か再会し、エピローグ部分では最終的に和解するに至る。そのときになって初めて二人は、それぞれが煌子ときわどいところまで距離を詰めていたことを、一〇年越しでおたがいに知ることになる。

この物語は、性格が正反対の男子二人が、微妙な間柄にあった一人の女子を間に挟んで不思議な因縁を持つ、その巡り合わせの妙を描いたものでもあるのだ。

プロローグ部分で描かれる、来栖が桃林の向こうに仁科煌子の姿を目撃する場面は、時系列的には、エピローグ部分で描かれる、来栖と多々良が和解するエピソードの翌日に当たる。物語の叙述が、循環型になっているということだ。結局、現在の煌子がどういう状況に置かれているのかは、最後まで明かされないままである。

それを通じて僕は、何を描きたかったのか——それは、煌子の思い出を来栖に語る多々良が放つ、以下の台詞に集約されている。

「なんというか、彼女はどこか、遠くに行ってしまったんだって気がする。こちら側ではない、〝向こう側〟のどこかへ。俺たちが手を伸ばしても決して届かない、〝向こう側〟へ」

不可知、不可触の存在

以上、長々と作品紹介を続けてしまったのは、この小説をあえてこのような形で書いた僕なりの真意をわかっていただきたかったからにほかならない。

例に漏れず、この作品も売れ行きはちっとも振るわなかったのだが、実をいうと僕自身は、今でもこの小説を、そう出来の悪いものだったとは思っていない。性質も生き方もまったく異なる男子二人がそれぞれ抱えている事情や心情、言い分も公平に描いていると思うし、煌子が主人公の章も、こういうタイプの（いわば「こじらせ」系の）女子が抱きがちな内面にかなり肉薄《にくはく》しているのではないかと自負するものだ。

桃林の向こうに来栖がその姿を目撃する瞬間に至るまで、煌子がいかなる道筋を辿ってきたのかがいっさい語られていないことにも、明瞭な理由がある。それが「語りえない」ことだからだ。語りえないことについては、人は沈黙しなければならない（ヴィトゲンシュタイン）。

プロローグ部分も、以下のように結ばれている。「先生」と呼びかける子どもたちに囲まれた煌子の姿を、来栖が目にしてからの叙述だ。

> 来栖はそれ以上、一歩たりとも近づくことができなかった。むしろ後ずさるようにしながら右の方へ逸れて、建物を後にした。子どもたちの黄色いざわめきが、工場の金属音に取って代わって、いつまでも耳の奥で響き合い、こだまを交わしつづけていた。

「桃の向こう」とは、手が届かず、関与することもできない彼岸《ひがん》のような場所・立場を暗示している。「向こう側」に行ってしまった煌子は、もはや関わることが許されない存在なのであり、そういう存在について、なにかをより詳しく知ることはできない。煌子がそういう形で不可知の、そして不可触の存在になってしまったということ自体が、本作のテーマのひとつでもあるのだ。それでいてどうして、これ以上彼女についてくだくだしく語ることができるだろうか。

もちろん、僕はこの物語の作者として、いわゆる「神の視点」を持ちうる位置にいるわけだから、煌子がなぜ、いかにしてそのような状態になったのか、あえて説明しようと思えばできなくはない。しかしもしそれをすれば、僕が醸成しようとしてきた煌子の「彼岸性」――どうなってしまったのかを具体的に知りようがないという不可知性は台なしになってしまう。それでは、興醒めもいいところではないか。

「結局、何が言いたいのか」

僕はおおよそそのような信念（「美学」と言い換えてもいい）のもとに、この作品をこのような形に仕上げ、自分としてはそれで何ひとつ疑問を抱いていなかったのだが、おおかたの一般読者の反応は、僕自身の狙いとは乖離したところにあった。

「煌子は結局、どうなったのか」「煌子のその後が気になる」「結局、何が言いたいのか」

——ネット上には、そうした感想が目立った。「そうした感想がメインだった」と言ったほうが正確かもしれないほどだ。

「こうであった」という確定的事実を明示するよりも、「こうだったかもしれない」「ああだったかもしれない」という想像の余地を残すほうが、物語として美しく、表現としても適切だと思えることが、僕にはしばしばある。物語には、一意的には定められない多義性が必要だと思うからだ。しかしそういう流儀は、エンタメ文芸の一般読者には通用しないことが多い。

ミステリー小説において、提示された謎は必ず寸分の隙もなく説明し尽くされなければならないように、未解明の問題として提示されたもの（『桃の向こう』においては、「煌子はどうなったのか」という問題）は、作中にそのまま放置してしまってはいけないのだ。

そうした要素は、読者には「伏線を回収できていない」とみなされてしまう。それによって、ともすれば作品そのものの評価も下げられてしまうのである。

たしかに、伏線は回収すべきだと僕も思う。ただしそれは、回収する対象が文字どおりの伏線であるかぎりにおいての話だ。僕が作中になんらかの要素を放置しているとすれば、それは回収しそびれたとか、回収を怠ったとかではなく、それがそもそも伏線ではなかったからだ（見落としが絶対にないとは言わないが、事前に詳細なプロットを組み立ててから本稿の執筆に取りかかる僕にかぎって、そういう意味での疎漏《そろう》はほとんど考えられないと思う）。

　煌子の身の上や、そこに至るまでの経緯が不可知のものに留まることは、思えばこの長篇小説の発端となった、短篇としての『桃の向こう』の段階で、すでに運命づけられていた。その中で僕が何よりも描きたかったのは、桃林の向こうに目撃した煌子の変わり果てた様子と、来栖がそれに対して、手を伸ばして触れることが憚られるような一種の禁忌の感覚を覚えることだった。これに続く章の中で、「煌子はなぜそうなったのか」を逐一説明してしまったら、くだんの場面が持つ詩的な奥行きのようなものが損なわれてしまう――僕はそう判断していたのである。

　その判断がまちがっていたとは、僕は今でも思っていない。しかし、「伏線を回収できていない」と評価されないためには、伏線と見紛われかねない要素（すなわち、オチをつけずに放置しておく要素）は、なるべく作中に挿入しないほうがいいと言うことはできる。

　あるいは純文学としてなら、こうした煌子の位置づけなども許容されるのかもしれない。考えてみれば、原型となった短篇『桃の向こう』は、純文学作家を目指していたアマチュア時代に書いたものだったのだ。「売れている本」を読み漁って、エンタメ文芸の「文法」を習得したつもりになっていた僕でも、あいかわらず純文学的な手法への執着を捨てきれていなかったらしい。もっとも、純文学サイドから見れば、その『桃の向こう』も、「純文学としてはウェルメイドすぎる」という評価になってしまうのかもしれないが（第1章参照）。

『ラス・マンチャス通信』の文庫化

煌子に関して「オチがついていない」というこの問題点だけに原因を帰せしめるつもりはないものの、先述のように、『桃の向こう』は売れなかった。

その残念な結果があらわになるまでは、角川書店は本当に僕に期待してくれていたと思う。それは、『桃の向こう』発売に一ヶ月先立って、『ラス・マンチャス通信』を角川文庫のラインナップに入れてくれたことにも表れている。

このデビュー作の単行本は、日本ファンタジーノベル大賞受賞作として新潮社から刊行されたものだが、第3章で述べたとおり、新潮社は、単行本時代に一度でも重版がかからなかった作品については、文庫化を見合わせるという原則で動いている。したがって、『ラス・マンチャス通信』も新潮文庫には入っていなかった。

もっとも新潮社も、『ラス・マンチャス通信』は絶対に文庫化しないと宣言していたわけではなく、単行本でも重版がかかったということで先に文庫化された二作目『忘れないと誓ったぼくがいた』の売れ行きを見据えながら検討していくとの意向を示していたのだが、僕としては、デビュー作がいつ文庫化されるかもわからないまま、埋没していってしまうことを恐れていた。

実は、「新潮社さんが文庫化しないならぜひわが社で」と、『ラス・マンチャス通信』文庫化のオファーを提示してきた版元は、角川書店のほかにも四社あった。しかし、タイミング的に、この際、長いつきあいになりそうな角川書店にお願いするのがいちばんの得策だろう、とその時点での僕は判断したのだ。角川文庫もまた、新潮文庫と肩を並べるほどメジャーなレーベルだったからだ。

しかしこの作品は、文庫でもやはり売れなかった。そこに、単行本『桃の向こう』の売れ行き不振が重なった。それでも担当編集者は、僕をどうにかして売れるラインに引き上げようとその後もあれこれ骨を折ってくれたのだが、企業としての角川書店が僕を見限るのは、驚くほど早かった（その詳細については、「〈コラム〉文芸出版業界の奇妙な慣行」を参照されたい）。ことに『桃の向こう』は、不遇な目に遭《あ》った。文庫化どころか、電子化すらしてくれなかったのだ。したがって現在、この作品を読むには、図書館に赴くか、紙の中古本を手に入れるかしてもらうよりほかにない。

同じ失敗

もうひとつ、似たような意味合いで「オチの欠如」とみなされたものが問題になったケースを挙げておこう。二〇一五年一二月に幻冬舎から書き下ろしとして刊行された、二三作目の小説『バタフライ』（二〇一八年一〇月に文庫化される際、『午前四時の殺意』に改題）だ。作家デビューして一〇年以上を経てなお、懲りずに僕が同じ失敗をくりかえしていることに読者はあきれるかもしれないが、言うまでもなく、僕には僕の言い分があったのだ。

この物語もやはり群像劇であり、たった一日のできごとを、七人の主人公の視点によってリレー形式で綴ったものである。七人のほとんどはたがいに名も知らぬ存在であり、それぞれが別の場所に住み、日ごろはたがいに関わり合うこともない生活を送っている。

その一人、母親の再婚相手から性的虐待を受けている中学生の少女・尾岸七海《おぎしななみ》は、ネットゲーム内のチャットで知り合った、しかし現実に顔を合わせたことはない同学年の少年・山《やま》添択《ぞえたく》に、義父を呪い殺すことを依頼する。択はいじめが原因で不登校になっており、部屋に引きこもる暮らしを続けていたが、七海のためならばと勇気を振るって家の外に出て、指示されたとおりの方法で呪いの儀式を貫徹する。この二人のやりとりと、二人の運命の行方が、ストーリーの主軸をなしている。

その軸の部分に、妻に先立たれて不器用に一人暮らしをしている年老いた元社会科教師、部下の扱いに苦慮して一人ですべてを抱え込んでしまう工務店の二代目社長など、その他五人の行動が、それぞれの形で関与してくる。

ただしその関与の仕方は、いずれもきわめてゆきずり的なもので、なにかの拍子にたまたま、ごくわずかな接点を持つことになるのにすぎない。しかし、そのとき彼らが取ったなにげない対応が、相手に思いもかけぬ影響を及ぼし、それがまた別の場所での別の事象に結びつくといった形で、事態は連鎖していく。

その連鎖は最終的に、この日の夜のＴＶニュースで取り上げられる二つの事件を引き起こす。しかしそこに関与した人々の多くは、自分のふるまいなり言動なりが、それらの事件に帰結する原因の一部として組み込まれていたことには、まるで気づかない。——ざっくりいえば、そういう物語である。

一一年間に及ぶプロの小説家としての経験から、僕もさすがに何も学ばなかったわけではなく、今回は僕なりに、わかりやすい「オチ」を用意したつもりでいた。つまり、少なくとも物語の主軸部分（七海の身の上をめぐる問題）に関しては、一般読者からも支持を得られそうな明瞭な決着を設けていたのである。しかし、それ以外の部分に抜かりがあった（僕にとっては、それは抜かりでもなんでもなく、ドラマツルギー上の必然にほかならなかったのだが）。

あまりにも不用意な失策

その前に、『バタフライ』というタイトルの由来について説明しておこう。このようなタイトルをつけた形でこの作品を刊行してしまったことも、ひとつの失敗——少なくとも、あまりにも不用意な失策だったと言うことができるからだ。

本作の巻頭には、気象学者エドワード・ローレンツによる「ブラジルの一匹の蝶の羽ばたきはテキサスで竜巻を引き起こすか?」という言葉がエピグラフとして掲げられている。自然界で発生したごくささいな変化などが、次々に連鎖反応を引き起こし、最終的には気候上の大きな変動に結びついたりする可能性を寓意《ぐうい》的に表現したもので、そうした連鎖反応は「バタフライ効果」と呼ばれている。

タイトルは、それを踏まえたものだった。つまり僕は、そのバタフライ効果のようなものを、人と人との関わりを媒体として描きたかったのだ。もちろん、人と人との関わりは自然現象ではないから、あくまで比喩的なものなのだが、「ささいなふるまいがなにかに影響を及ぼし、巡りめぐって大きなできごとを引き起こす」その様相を、人物ドラマの中に組み込もうとしたのである。

問題は、日本では二〇〇五年に公開されていたアメリカ映画『バタフライ・エフェクト』を、この時点の僕が知らなかったことだ。

この映画は、あるきっかけでタイムトラベルの能力を身につけた主人公が、人生において発生した不幸をなかったことにしようとして過去に戻り、当初とは違うふるまいをすることなどによって、その後の運命を変えようとする姿を描いている。しかし、主人公が現在に戻ると、別の形でだれかが不幸に見舞われたり、自分自身が不遇な立場に立たされていたりする。必ずどこかに寄ってしまうその「皺《しわ》」を、どうすれば除去できるのか――それがこの物語の核心部分である。

これもまた、人と人との関わりを通じて、影響の連鎖と、それが引き起こす事態の重大な変化に焦点を当てたものだったばかりか、映画はヒットして、二本の続編まで公開されているのだが、僕の視界にはまったく入ってきておらず、僕は自覚もないままに、このヒット映画の向こうを張って、『バタフライ』などという露骨なタイトルの本を出してしまったのである。

映画との比較だけでなく……

自作を紹介するたびにこうして同じ文章をくりかえすのはせつないものがあるのだが、この本もまた、売れなかった。

ネット上の感想では、「展開が地味で期待外れだった」といった意味合いのものが目立った。おそらくそうした人々の一定数は、このタイトルから、映画『バタフライ・エフェクト』のような物語を期待したのだろうと思う。しかしそのわりに、それほど大きなできごとがめくるめく展開で起きるわけでもないので、落胆したのだろう。

中には、「こんなのは本当の〝バタフライ・エフェクト〟じゃない」などとくさしているものもあった（そもそも、自然界の現象ではなく、人と人との関わりに関してこの語を使用するのは比喩にすぎないのだから、「本当の」もなにもないと思うのだが）。

しかし、彼らがこの作品の展開を「地味」と評するのは、映画『バタフライ・エフェクト』との比較だけが原因ではなさそうだ。

レビューの文面を瞥見《べっけん》することを通じて、彼らがどういう物語を求めていたのかは、あらかた想像がつく。「もっと掘り下げてほしかった」「登場人物全員が幸せになるのを見届けたかった」「尻切れトンボ」「最後をもっとうまくつなげてほしかった」――代表的な感想の核心部分は、おおむねそういったところにある。

おそらくだが、彼らが期待していたのは、一見、無関係と思われる人々が、巧妙に張りめぐらされた伏線によってたがいに思いもかけぬところで結びつき、意想外の結果を呼び起こして、最後には複雑なパズルのピースが余すところなくしかるべき位置に収まるように、作中で描かれていたあらゆる問題がいちどきにきれいに、かつ鮮やかに解決する、そんな物語だったのだろう。

『バタフライ』は、そういう物語ではなかった。部分的にそういう要素もなくはないが、解決しないまま放り出している問題もあったし、すべてのピースがきっちりと回収されるわけでもなかった。

実は、初稿を脱稿した際、担当編集者から、もう少しそういう方向に作品の形を寄せられないかという打診は受けていた。それはあくまで編集長からの意見という触れ込みではあったが、担当編集者自身、「編集者としては、正直、そう直したい衝動に駆られます」と漏らしていた。しかし僕は、「そういうのは、自分が書きたい作品ではありません」と言ってそれを拒んだ。担当編集者も、書き手としての僕の資質はよくわかってくれていたので、それ以上の無理強いはしなかった。

自分なりの必然性

僕の言い分としてはこうだ。

パズルのピースがすべて揃うようなタイプの作品なら、すでにほかの作家がいくつも書いている。パッと思いつく中で言うなら、たとえば伊坂幸太郎の『ラッシュライフ』などは、その好例のひとつだろう。多くの登場人物が、それぞれの思惑を胸に、各人バラバラに行動しているのだが、それらの動きが、「それがそこにそうつながるか！」と思わせるような劇的な形でたがいに影響し合い、すべてが丸く収まる痛快なラストになだれ込んでいく。

ただ、そうした天の配剤のような、めくるめく偶然に次ぐ偶然の妙などというものは、現実にはほとんど起こりえない。それは一種のファンタジーだ。もちろん、ジャンルの如何を問わず、小説というのは、フィクションであるかぎりにおいて、ファンタジーであることを免れないところがあるし、そういう作品を否定する気は僕にもない。現実には起こりえない劇的で爽快な展開を描きえているからこそ、そうした作品は支持されるのだろう。

しかし、『バタフライ』を書くに際して、僕の関心は最初からそこには向けられていなかった。そういう作品は、そういう展開を組むのが得意な作家が書けばいいのであって、僕が取り組むべき課題ではないと思っていた。僕が描きたかったのは、あくまで、「大きな事件が起きる流れの中に、自分自身が無自覚なまま関与している可能性」だったのだ。

夜、なにかの片手間に見たTVニュースで報じられている事件を、多くの人は人ごとだと思って聞き流すだろう。でも、もしもあなた自身が、自分でも気づかぬうちに、そこに一枚噛んでいたとしたら？　日中、コンビニの従業員の要領の悪い対応にいらついて、つい、きつい調子でなにか言ってしまったこと、あるいは、通りですれちがった見知らぬだれかが落としたハンカチを拾ってあげたことが、その後、別のなにかに派生的に影響を及ぼすことで波紋が広がり、それが最終的には、報道されているその事件に逢着《ほうちゃく》していたのだとしたら——？

その恐ろしさこそが、『バタフライ』を通じて僕が表現したかったことなのである。それを表現するためには、作中で描かれる事象は、「現実世界に十分に起こりうること」である必要があった。奇跡さながらの巡り合わせに依存するような形にしたら、作品本来の趣旨からそれてしまう。また、同じ理由で、ことさらに派手な展開にすることも避けたかった。現実世界に、そうそう派手な展開など起こりえないからだ。

『バタフライ』という物語を、現在、本になっているような形にした背景には、僕なりの必然性があったのだ。

しかし僕のその信念は、一般読者には通用しなかった。ネットでレビューを見るかぎり、僕自身の狙いどおりに受け取ってくれている人は少数派で、多くは先に述べたような理由で不平や不満を漏らしていた。映画『バタフライ・エフェクト』シリーズしかり、『ラッシュライフ』型の小説作品しかり、似た要素はあっても事実上、別の理念に基づいて作られた作品群の系列という「雛形《ひながた》」と勝手に比較され、「その水準に達していないから、この作品はおもしろくない」というジャッジを下されてしまったのである。

もっとも、この『バタフライ』にせよ、先に挙げた『桃の向こう』にせよ、オビなどには、それぞれの作品を書くに際して僕が最も大事にしていた核心部分がわかるような文言は、ひとつも書かれていない（前者のヘッドコピーは「飛べ！　あなたはもう一人じゃない」、後者は「おまえも、あいつとつきあってたの?」）。その意味では、読者の期待との間に齟齬《そご》が生じてしまうのも避けられないことのような気がするし、版元の売り方にも問題があったのではないかと指摘できなくもない。

ただ、版元としても、「そうでもしなければ興味を持ってもらえないかもしれない」という判断があったからこそそうしたのだろうし、そもそも僕が描きたかった核心部分そのものが、普遍性からあまりにも遠かったということにすぎないのかもしれない。

いずれにしても、これだけは言える――「すべてに説明がなされ、あらゆる問題が放置されずに解決する」という形を取る小説でないと、一般読者の支持を得ることはむずかしい。それに背馳《はいち》する面のある自らの理念や美学をあえて具現化する形で書いた作品を発表する際には、それなりの覚悟が必要だということだ。

第7章

〝共感〟というクセモノを侮ってはならない

僕が読み手として小説に求めていること

読者としての僕が、小説に求めているもの、小説を読む際に重きを置いているものは何か。その問いに、ひとことで答えるのはむずかしい。

心にズシリと響いてくるものがあるかどうか。物語として、僕にとって美しいと思えるたたずまいを備えているかどうか。テーマとその描き方に、説得力があるかどうか。一読しただけで、忘れがたい印象を残す場面なり叙述なりがあるかどうか。登場人物が、体温の感じられるリアルな造形によって描かれているかどうか。世界のよい面と悪い面の両方に、公平に目配りしたものになっているかどうか——。

読む作品のタイプにもよりけりなので、一概には言えない。もちろん、「その気持ち、わかる、わかる！」と共感できる部分があるかどうかを問う場合もある。しかし「共感できるかどうか」は、実のところ、僕にとってそれほど重要なファクターではない。たとえ登場人物の誰にも共感できなかったとしても、その他の面で十分な説得力なり美点なりのある物語であれば、「読み応えがあっておもしろかった」と満足するケースも往々にしてある。

そして、小説に対する僕のこうした嗜好は、そっくりそのまま、小説家としての自分の姿勢につながってくる。僕は何よりも、自分が読みたい小説、自分が読んで満足できる小説を書きたいという思いのもとに、自分の作品を執筆してきたのだ。能力がそこに及ばなかったり、その他の外因的事情（多くは、版元からの要望など）によって思いを果たせていなかったりすることも多々あるが、僕が自分の小説を書く際に、先に列挙したような条件を可能なかぎり多く満たすものを書こうと常に心がけていることはまちがいない。

逆にいえば、読者として「共感」を重要視していない僕は、小説の書き手としても、そこにあまり比重を置いていない。そもそも、読者から共感を得ようなどとはこれっぽっちも思っていない場合さえある。そのとき僕が目指しているのは、なにかそれとはまったく別のことなのだ。

ところが、どうやら一般読者の大半は、最初から「わかる、わかる！」という共感を求めて小説を手に取っているようなのだ。そして、作中に共感できるポイントを見出せなかった場合、その作品は「共感できなかった」のひとことで切り捨ててしまう。彼らにとって「共感できない」とは、「つまらない」と同義なのだ。

驚くべきことかもしれないが、プロの小説家になってからもなおしばらくは、僕はそのことに気づいていなかった。たぶん、それまでに僕が発表してきた小説には、（僕自身が執筆時にそれを意識していたかどうかは別にして）たまたま一般読者の共感を呼びうるなんらかのフックが備わっていたため、ネットでレビューなどを見ていても、「共感できなかった」という声にそれほど多く触れずに済んでいたのだろう。

「共感できない」という悪評の嵐

読者からの共感を得られるかどうかがいかにやっかいな問題であるか、それを僕が本格的に思い知らされるきっかけとなったのは、デビューから八年後、二〇一二年九月に新潮社から刊行された一六作目の小説、『僕の心の埋まらない空洞』だった。ひとことでいえば、この作品は、「共感できない」という悪評の嵐に晒されてしまったのである。

このわずか三ヶ月前には、前章で取り上げた『大人になりきれない』が刊行され、予想だにしていなかった読者の反応にショックを受けたところだった。その衝撃も、僕自身の思惑とはまったく異なる方向で作品が受け取られてしまったことによって、読者からの共感を得るどころか、むしろ反感を買ったり、読者を脅かしたりしてしまったという点にあり、ある意味では同じ問題に属する事例だったと言っていい。

なお、『僕の心の埋まらない空洞』は、『大人になりきれない』（当時の仮のタイトルは、『ネオテニーたちの夜明け』）に求められた改稿をめぐって、原稿を新潮社から引き上げるなりゆきとなってしまったという不手際（第5章参照）を償うべく、担当Tさんのもとであらためて一から構想した作品でもある。いろいろな意味で、この頃の僕は呪われていたのではないかと思えてならない。

いずれにしても、まずはこの作品が成立した経緯について、軽く説明しておこう。

作品の構想

Tさんもまた、僕の書き手としての本質はデビュー作『ラス・マンチャス通信』にあると考えており、この作品は、「『ラス・マンチャス通信』の主人公のような、偏執的で閉塞的な雰囲気の語り手を登場させてほしい」という彼女からのオーダーに応えて着想したものだった。たとえば、「猟奇的な連続殺人犯の視点でその日常を語る」といったものが、当初、例として挙げられていたと思う。

新潮社では、とりわけ前任の担当編集者であるZさんがついていた時代には、『ラス・マンチャス通信』的な作風は事実上、封印されていたのだが、Tさんは、それもアレンジ次第では可能だと考えていたようだ。「犯罪者の視点で語られるサスペンス」といった体裁を整えれば、その中に『ラス・マンチャス通信』的な不穏さを公然と忍ばせることもできる。

作品の大枠が決まった瞬間のことは、鮮明に記憶している。一七年間勤務した職場を辞して作家専業となってからほどない二〇一一年三月下旬、東日本大震災の直後だった。

Tさんとは、もともとその日に目白の老舗のビストロで打ち合わせの約束をしていたのだが（この頃はまだギリギリ、僕程度の作家に対しても、打ち合わせのためにそういう店を選べるだけの太っ腹さが版元にもあった）、それを待っている間に状況は激変し、都内も自粛ムードに包まれてしまっていたため、ビストロでワイングラス片手に打ち合わせどころではないだろうと考えたのか、Tさんは日程の延期を申し出てきた。

しかし僕は、やみくもに自粛をよしとする世間の同調圧力に対する反感も感じており（そこからして、僕が世間一般の人々となにかを分かち合うことがいかに困難であるかがあけすけに示されているのだが）、営業している店があって、そこが僕たちの来店を拒んでいないのなら、予定どおり決行すべきだと主張した。東京の経済を回していくためにも、それが必要だと考えていたのだ。そんなわけでTさんと僕は、街が喪に服するように静まりかえっている中、震災などなかったかのようにフレンチに舌鼓《したつづみ》を打ちながら、新作の構想をともに練ることになったのだった。

不意に湧いてきたイメージ

思いのほか混み合っていた店内で、アイデアは順調に迸《ほとばし》り出てきた。

「ストーカー殺人の容疑者が、対象である女性に執着する心理を、本人視点で赤裸々に綴る」という、僕が開陳した腹案を叩き台にしながら、設定は着々と膨らんでいった。その容疑者は妻帯者であり、執着していた女性との関係自体が不倫だったというのはどうか。そしてその執着のありようは、第三者から見れば狂気でしかないのだが、本人には本人なりの「無理からぬ理由」や、そうしなければならなかった道理があったりする。その道理を、本人が滔々《とうとう》と、しかも一見、ほころびのないロジックを駆使しながら、理路整然と語る。

Tさんはその方向性に賛意を表しながらも、「その容疑者の視点だけだと単調になりかねないので、彼を取り調べる警察や検察側からはどう見えているかも、同時に綴ったほうがいいかもしれないですね」という意見をつけてきた。

「その刑事なり検事なりの日常も、並行して語るような形で」

そう言い添えるTさんの案を耳にしながら、僕の脳内には不意に、あるイメージが渾々《こんこん》と湧いてきた。僕は勢い込んで、そのイメージを言葉にしてみた。

「だったら、こういうのはどうです？　――きまじめな検事がいるんです。奥さんのことも大事にしていて、浮気なんて考えられないようなタイプです。その検事が、ストーカー殺人を犯した容疑者の取り調べを進める中で、知らず知らずのうちにその容疑者の考え方の影響を受けてしまうんです。なにしろその男の言い分は、ある意味では一応、筋が通っているわけだから」

「はい。それで？」

「それでその検事には、女性の立会《たちあい》事務官がついているんですが、彼はその女性事務官を次第に異性として見るようになり、気がつけば怪しい関係になってしまっている、という……」

Tさんは、一瞬の沈黙を挟んでから、興奮した声音でこう言った。

「エロい！　——平山さん、それすごくエロいですよ！」

念のため、あらためて言っておくが、Tさんは女性である。しかし、彼女が使う「エロい」は褒め言葉であることを僕は知っていた（思えば、第4章で述べたとおり、やはり女性である小学館のVさんも、「エロい」という語で僕の文体を褒めてくれていたのだが）。

「ですよね？　エロくないですかこれ、いいですよね、これ！」

「すごくいいです！　それでいきましょう！」

すっかり意気投合して、あたり憚らぬ大声で「エロい！」を連発する僕たちに、隣のテーブルに向かい合わせで座る品のいい高齢のカップルが向けてくる、さも不審げで迷惑げな視線が痛かった。

手弁当での取材

こうして作品の基本コンセプトはすんなりと決まり、それからの僕は精力的に執筆準備に取りかかった。例の異様に詳しいプロットを起こしたのはもちろん、検察の仕組みや検事の仕事内容などについて勉強するかたわら、福井市や、九頭竜《くずりゅう》川の河口である坂井市などを巡る取材旅行にも赴いた（作中で明示してはいないが、物語の舞台はそのあたりという背後設定だったため）。取材旅行といっても、僕レベルの作家では、編集者が同行してくれたり、経費が版元から下りたりするわけではない。すべて手弁当だが、質の高い作品にするためなら、そんな出費は厭《いと》わなかった。

結果として書き上がった原稿は、ほぼ、目白のビストロでTさんと合意に達した筋書きを、忠実になぞったものとなった。

某地方都市の地裁で検事を務める、「堅物」で通っている四三歳の荒城《あらき》倫高《みちたか》のもとに三一歳の被疑者・鳥越昇《とりごえのぼる》が送検されてくる。鳥越は、自らの結婚から一年も経ていないにもかかわらず、同じ職場の後輩である松谷《まつや》紗菜絵《さなえ》に一方的に思いを寄せ、執拗《しつよう》につきまとったあげく、川に突き落として溺死させた疑いがかけられている。本人もその際に誤って川に転落したが、一命を取りとめたという。荒城からの取調べに応じた鳥越は、殺人に関しての認否をあきらかにしないまま、ただ自分の言い分を聞いてほしいと言って、紗菜絵との出会いから現在に至るまでの経緯を詳細に語りはじめる。

警察の見立てとは違って、自分が結婚する数年前から紗菜絵とは男女の関係が成立していたと鳥越は主張し、紗菜絵がいかにずるかったか、それに対して自分が怒りを覚え、結果として彼女を執拗に責めるようになったのがいかに無理もないことであったかをわかってほしいと荒城に訴えつづける。

現在は妻となっている真紀《まき》と鳥越がすでに交際していたことは知った上で、紗菜絵は鳥越と男女の関係になったにもかかわらず、いざ鳥越が真紀と結婚すると、うしろめたさに耐えられなくなったのか、紗菜絵は突如として距離を置きはじめ、鳥越との恋愛関係など最初からなかったかのようにふるまいはじめた。そればかりか、鳥越の不倫に関しては自らも片棒を担いでいたにもかかわらず、妻に対して不実な鳥越のことを咎めはじめた。その当事者意識を欠いた態度がどうしても許せず、謝罪なり弁明なり、本人の口から納得のいく言葉を聞きたくて、自分は紗菜絵につきまとっていたとこの男は言うのだ。

一方で鳥越は、紗菜絵とそういう関係になったのは、自分の中に「どうしても埋まらない空洞」があり、それを埋めようとした結果だったのだと語る。配偶者としての真紀に不満があるわけではないが、それとは別に、常にその空洞が存在していて、それを埋めようとせずにはいられないのだと。子どもはいないものの、その分、妻ちづるとの関係は濃密で、愛妻家としても知られる荒城だが、鳥越の供述を聞くにつれ、自分にも思い当たる節がないでもないことに気づきはじめてしまう。

そのさなか、人員に空きが出たという理由で、札幌高検への急な異動を告げられた荒城は、検事室で終始、二人きりで過ごしている三〇歳の立会事務官・野《の》沢《ざわ》瞳《ひとみ》を、今さらながら異性として意識してしまっている自分に気づく。そして、異動を前にした慌ただしさの中で、あたかも鳥越の供述に操られるかのように、瞳との距離をにわかに詰めていってしまう——。

そういう物語である。

納得がいかなかった改題

なお、この小説の原稿には当初、『グリッター』というタイトルがつけられていた。グリッター（本来は「輝き」の意味）とは、琥珀《こはく》の標本の内部にときどき見られる、白く輝く亀裂のようなもののことを指している。樹液が地中で化石化する際、もともと樹液に含まれていた気泡が地熱で膨張し、周囲の固まった樹液にひび割れを生じさせた痕跡なのだが、「外側からはどうにも手のつけようのない空洞」ということで、本作のテーマにうってつけだと考えたのである。

しかし『グリッター』では、どんな物語なのか読者に想像させることはできない。ある時期以降、僕は各社から何度となく、同じ理由で改題を求められるようになっていた。「平山瑞穂」の名前だけでは売れないから、という判断が背景にはあったのだろう。『僕の心の埋まらない空洞』は編集部から提案されたタイトルで、僕自身は納得していなかったが、争う術《すべ》もないので受け入れた。実のところ、今もってこのタイトルには納得していない。

外れた目論見

さて、この作品を通じて僕が伝えたかったことは、大きく見て二つある。ひとつは、特定の相手に執着し、しつこくつきまとって苦しめてしまうような人間にも、その人間なりの「道理」があるのではないかということ、もうひとつは、心の中の空洞を埋めようとして不倫に走ってしまうような危うさは、自覚の如何にかかわらず、実は少なくない人が共有しているものなのではないかということだ。

先に言っておかなければならないが、実をいうと、僕自身の考えた背後設定としては、鳥越は紗菜絵を殺害していない。鳥越との泥《どろ》仕《じ》合《あい》に疲れ果て、うつ病を発症していた紗菜絵は、鳥越との口論のさなか、自暴自棄になって橋の上から自ら身を投げたのだ。鳥越が川に落ちたのは、むしろそれを止めようとしたからだった。しかし、紗菜絵をそこまで追いつめたことについて本人なりに深く悔悟していた鳥越は、最終的には、嫌疑のかかっていた紗菜絵殺害の事実をはっきりと認めることで、自らを殺人罪で起訴するように、荒城を誘導したのである。

ただし、そのあたりついては、かなり遠回しな書き方をしている。どうやら遠回しにしすぎてしまったらしく、僕のその意図が読者に正しく伝わった気配は感じられなかった。それもあって、鳥越については、「不倫した相手を殺害までしていながら、身勝手な言い訳ばかり並べ立てている最低の男」という烙印が捺されてしまった。

殺害の事実はなかったとしてもしょせん五十歩百歩ではあるのだが、鳥越についてそう解釈されたことが、事態をさらにやっかいなものにしてしまったのではないかと僕は考えている。鳥越がより凶悪であり、より激しい非難の対象とみなされればみなされるほど、その言い分を正面から理解しようという読者の意志は阻害されるであろうからだ（その点については後述する）。

「共感できない」と「つまらない」の狭間で

ともあれ、（紗菜絵を殺害したにせよ、単に「死に追いやった」だけにせよ）鳥越のしたことは、許されることではない。妻の真紀を恋人時代も含め数年にわたって裏切りつづけていたことも、紗菜絵を執拗に責めたり、ときには待ち伏せして一方的に問いただすようなことをして、心を病むレベルまで脅かしたりしたことも、いかなる理屈をもってしても弁解することはできない。そういう意味では、この男はまぎれもない「悪者」である。しかも、その語りは過度に理屈っぽく、偏執的で、人によってはそこに、狂気に似たものを感じるかもしれない。

そういう人物の語ることに、人は普通、まともに耳を傾けようとはしないだろう。「またわけのわからないことをまくし立てている」と決めつけて、まじめに聞くに値するものがそこにあるなどとは夢にも思わない。この男が紗菜絵を殺害したと見立てられているのであれば、なおのことそうだろう。

しかし荒城は、検事という職業柄、真実はどこにあるのかを探ろうとして、好むと好まざるとにかかわらず、果てもなく続くかに見える鳥越の供述に、辛抱強く耳を傾けざるをえない。その中で荒城は、一見、身勝手なだけの鳥越の言い分の中に、ある種の筋道立った論理性が、そしてある種の「正しさ」があることに次第に気づき、その巧みな弁舌に心ならずも惹き込まれていってしまう。

鳥越の行為の数々が許されないものであるのは事実だが、では紗菜絵には、非はなかったのか。鳥越にいずれ結婚することになる正規の相手がいることを知りながら、あえてこの男との性愛関係に入っていったことは、本人の意志によるものだ。ところが鳥越が真紀と結婚するや、「鳥越さんのことは先輩として尊敬していただけ」などと言って、自分だけ安全地帯に逃げ込もうとしたのが紗菜絵だ。

その態度を鳥越は「ずるい」と断じているわけだが、紗菜絵にそういうずるさがあったことも、それはそれとして厳然たる事実ではないのか。鳥越が非難されるべき存在であるからといって、その事実が、紗菜絵の側にもあったかもしれない非を帳消しにするわけではない。

それとこれとは別の問題なのだ。

もちろん、だから鳥越が紗菜絵にしたことも妥当だなどと弁護するつもりは、僕にはさらさらない。ただ、そうして鳥越を「悪者」と決めつけ、言い分をいっさい認めないという態度を取ることで幕を引いてしまう前に、なぜそんなことになってしまったのか、鳥越にそうさせてしまったものはなんだったのかを、冷静に、分析的に見て取ろうとする姿勢も必要なのではないか――僕は読者に、そう問いかけたかったのだ。

そんな鳥越の言い分を、いわば精神病質者のようなねっとりした（ある意味でうんざりさせる）語り口で表現しえたことで、ストーカーと呼ばれるような人々の心の深層にあるものがなんなのか、彼らがなぜそういう行為を犯してしまうのか、その理由の一端を、ある程度まであきらかにすることができたはずだと僕自身は自負していた。「なるほど、彼らはこういう脈絡で犯行に及んでいるのか」と読者に膝を打ってもらいたかった。それを果たせれば、この作品を書いた僕の所期の目的はあらかた達成できたと言ってもよかった。

もうひとつの問いかけ――「心の中の埋まらない空洞」を埋めたいという衝動は、多くの人が抱きうるものなのではないかという問いかけも、究極には同じ問いの別の側面にすぎないのかもしれない。世間のおおかたの人は、「悪者」をただ「悪者」として断罪し、自分は違うとみなして安心しているようだが、ちょっと待ってほしい。あなたは本当に、自分自身が（不倫も含めて）罪を犯す可能性はないと言いきれるのか。自覚していないだけで、案外あなた自身も、そうした危うさと隣り合わせのところにいるかもしれないではないか――。

この作品を通じて僕が言いたかったことの核心は、そこにある。つまり僕は、この小説を世に放つことによって、読者の共感を得ようなどとはまったく思っていなかったということだ。鳥越の思考の道筋について、あるいは、誰もが罪と紙一重のところにいる可能性があるという見方などについて、「なるほど」と得心してもらいたいという思いはあったが、それは共感を求める気持ちとは違う（共感とは、往々にして、もっと情緒的で感傷的ななにかだ）。この小説には、共感とは異なるチャンネルを通じて対峙してもらいたかったし、それを介して評価されることをこそ、僕は望んでいた。

だから、発売後、「共感できなかった」という感想が続出したとしても、そのこと自体は問題ではないはずだった。そもそも、共感されることを期待していたわけではないのだから。しかし先に述べたように、一般読者にあっては、「共感できない」は実にしばしば、イコール「つまらない」なのである。

根強い共感至上主義

この作品の読者レビューで代表的なものは、おおよそ以下のような論調だった。

「不倫を正当化している男たちの身勝手な言い訳を延々と読まされてうんざりした」「不倫以外のなにものでもないものに意味づけして美化しようとしているのが見苦しい」「男二人の自己正当化の言い訳が不愉快」。中には、「浮気はよくない。ストーカーもよくない」だけで完結している感想もあった。

浮気やストーカーがいけないなどというのはあたりまえで、わざわざ言及するまでもないことだ。当然のことながら、僕はこの作品を通じて、不倫やストーカー行為を肯定していたわけでもないし、弁護していたわけでもない。そうした倫理的反感や批判の先にあるもの――非難される行為であることがわかっていながら、人はなぜ不倫やストーカー行為に走ってしまうのか、その根源を突きつめたかったのだ。

読者を不愉快にさせることも、織り込み済みだった。むしろ不愉快にさせることによって、問題の核心に目を向けさせたかった。だが、読者の多くは、「不愉快だった」という感想で終わりにしてしまった。その理由は、「共感」という語をキーとした一連の感想に目を通していれば、おのずと見えてくる。

「身勝手な男の話で、共感できなかった」「女性の共感は得られないだろう」「これは男性のほうが共感できる内容なのでは?」などなど。こんな感想もある。「既婚者が共感するとオビに書いてあったが、実際にはどうなのか訊いてみたい」――これは、単行本のオビに書かれていた以下のコピーのことを指しているものと思われる。

「これって俺の話!?」と震え上がる既婚男性、続出!

これは担当のTさんが考えたコピーだが、いずれにせよ、「身に覚えがある」、あるいは「思い当たる節がある」という理由で脅かされることは、「共感」とは違うと僕は思う。「既婚者が共感する」とは、オビにはひとことも書いていない。にもかかわらずこのレビュアーは、それを「共感」と解釈したのだ。それはとりもなおさず、「小説を読めば、なんらかの共感が得られるはず」ということが当然の前提になっていることを示唆しているような気がする。

だからこそ、「共感できない小説」は、「つまらない、読んでも意味のない、不愉快なだけの小説」とジャッジされてしまうのである。

「情緒的な共感」では掬《すく》えないもの

自分が伝えたかったことが読者にまるで届いていないことを目の当たりにさせられるこうしたレビューの数々に打ちのめされていた僕は、その中に稀に見出せる、「共感はしないが言い分は理解できて引き込まれた」「ストーカーの気持ちはわからないが、言いたいことはわかる。そのへんの匙《さじ》加減がうまい」「著者の筆力によって気色の悪い思考回路をグイグイと読まされてしまう怖い本」といった文言に、「わかってくれる人もいないわけではなかったのだ」と思わず涙しそうになってしまった。

あえて反感を買いそうな題材を取り上げることで、世の中に蔓延《まんえん》する常識や良識に一石を投じるというのも、手法としては許容されるはずだ。「嫌悪感を感じながらもつい引き込まれてどんどん読んでしまう」という種類の小説だって、あっていいと思う。ただ、次のことは決して忘れてはならない――一般読者の多くは、小説を読む際に、ただ情緒的な共感を求めているだけなのだ。

「不愉快だった」のひとことで片づけられてしまうリスクを負うことなしに、そうした捻《ひね》りを加えた小説を世に問うべきではない。それが、僕から提示できる助言だ。

皮肉な未来予想図

なお、「共感」ついでに、もうひとつ別の作品についても軽く触れておきたいと思う。二〇一三年三月に小学館から刊行された『ルドヴィカがいる』である。刊行順としては、上述の『僕の心の埋まらない空洞』の次に出た本だが、こちらは文芸誌『きらら』での連載を経て単行本化されたものだ。

これは、「一度、小説家である主人公が一人称で語る平山さんの小説を読んでみたい」という担当編集者（小学館だが、第４章で言及したＶさんは、この頃、別の部署に一時的に異動になっていたため、彼女とは別の人物）からのリクエストに応じて構想した物語だった。主人公が作家、しかも一人称というのは、書き手である僕自身との距離の取り方が困難になるため、それまでは意識的に避けていたようなところがあるのだが、一度くらいやってみてもおもしろいのではないかと思って応諾した次第だ。

語り手・伊豆浜亮《りょう》平《へい》は、四二歳の売れない小説家という設定である。執筆時の僕自身と同世代であり、「売れない」という点も僕自身と同じだったが、まったく同じでは気恥ずかしくなってしまうので、あえていくつか、異なる設定も設けた。既婚者である僕と違って伊豆浜は未婚であり、当時、（売れないことに辟易しながらもなお）各社で精力的に執筆を進めていた僕とは違って、伊豆浜は自分の作品がいっこうに世間に受け入れられないことに嫌気がさして、すっかりやる気をなくしてしまっている。

小説家としての収入だけでは暮らしが立ちゆかないので、作家としての自分のところにインタビューの仕事で訪れた女性週刊誌の編集者に頼み込んで、本名・濱《はま》田《だ》和泉《いずみ》名義でライター業を兼任しながら、生計の足しにしている。僕自身も今のままでは、いずれそういう立場になってしまうのではないか、という自虐的な未来予想図のようなつもりで、そんな設定にした記憶がある。

このあたりは、今振りかえると実に皮肉だ。当時の僕は、この作品そのものがそうであるように、まだ文芸誌に連載を持てる程度の地位はかろうじて維持していたのだが、現在はというと、まさに週刊誌でのライター仕事などでどうにかやりくりしている状態であり、ひょっとしたら伊豆浜をもしのぐ苦境にあえいでいるかもしれないくらいだからだ。現実が予想に追いつき、少しばかり追い越してしまいさえしたというわけだ。

「小説家」はかく語りき

ともあれ、そんな伊豆浜のもとに、ある日、くだんの女性週刊誌から、インタビュー記事執筆の依頼が来る。もちろん、伊豆浜自身がインタビュアーとして他人を取材するのである。相手は、「鍵盤王子」の異名を取って大ブレイク中の世界的な若きイケメン天才ピアニスト、荻《おぎ》須《す》晶《あきら》。拠点としているフランスからの一時帰国中にインタビューに応じたこの男に、なぜか一方的に気に入られてしまった伊豆浜は、後日、北軽井沢にある彼の別荘に招かれる。

その別荘で晶の姉に引き合わされた伊豆浜は、謎が謎を呼ぶ迷宮のような世界にどっぷりとはまり込んでいくことになるのだが、この際、ストーリーはどうでもいい。この作品もまた、セールスとして悲惨だったことは言うまでもないこととして、ネット上のレビューを見ていると、その原因の一端は、どうやら語り手・伊豆浜の性格設定そのものにもあったらしいということがわかってくる。彼らにとって伊豆浜は、「性格的に感情移入しづらい主人公」なのである。

伊豆浜は毒舌な皮肉屋であり、なにごとも斜に構えて見ている。また、「小説の文章とはこうあるべき」といった信念や、それにまつわる厳しい意見の持ち主でもあり、それについて一人称で語っているあたりは、口うるさいとも取れる。実は、伊豆浜のそうした性格設定は、僕自身のそれをほぼそっくりそのまま引き写したものであり、僕は作中人物にかこつけて、自分が日ごろから腹に溜め込んでいる不満などをここぞとばかりにぶちまけているのだ。

たとえば、論理性にこだわり、接続詞や時制の一致などをないがしろにしない自分の文体について、「もっとスピード感をもって読ませるシンプルな文体にしたほうがいい」と編集者から指摘を受けた伊豆浜は、こう語る。

> そうした文体がある種の臨場感を醸し、読者にどんどん先を読ませようとする効果を持っているということ自体は了解できる。しかし言わせてもらえるなら、こういうのは、深みも何もない「安い」文体だ。読者を煽情することにのみ依存しているという点で、下品ですらあると思う。堂島櫂《どうじまかい》などは、こういう文体の小説をまき散らして平気な顔でいる。というより、むしろ得意げにさえ見える。こういうのがスタイリッシュだとでも思っているのだろう。その不自然でナルシスティックなペンネームからしても、センスのほどが推して知れるというものだ。

「堂島櫂」というのは、作品が飛ぶように売れているミステリー作家で、伊豆浜はなにかと目の敵《かたき》にしているのだが、インタビュー中に、何も知らない荻須晶がこの作家を褒めそやすのを聞いて、伊豆浜は内心、「この男とは絶対に仲よくなれない」とつぶやき、「その美しい顔にボールペンを投げつけたい衝動をかろうじて抑え」たりしている（堂島櫂にモデルが実在するかどうかは、ここではあえて言わないでおこう）。

第１章で、エンタメ文芸が常にジャンルの拘束を受けることの不自由さについて語った中でも、僕はこの伊豆浜のことを引き合いに出しているが、伊豆浜が語る小説論は、ほぼ寸分の違いもなく僕自身のそれである。

こだわりを握りしめて

まあ、伊豆浜がキャラクターとして不評なのは、なにもそういった面で現れる口の悪さやあまのじゃくさばかりが原因というわけでもないのだろうが、いずれにせよ、主人公の一人称が「感情移入しづらい」、すなわち「共感できない」とみなされることは、かなり致命的だ。そして、そんなふうに嫌われる性格が自分自身のものだという点に、僕は深刻なものを感じざるをえない。

それまでにも僕は、本書で取り上げてきたようなさまざまな問題を通じて、自分自身と一般読者との間にある距離やズレにたびたび直面させられてきたが、その距離は、想像をはるかに超えるほど隔たっていたのかもしれない。彼らと僕の間で共有できるものなど、驚くほどわずかしかないのかもしれない。それでいてどうして、多くの読者の支持が得られる小説を書くことなどができるだろうか。僕はそもそも、職業選択を根本的に誤ってすらいたのではないか。ときどき、自らに真顔でそう問いかけずにはいられなくなるのである。

　ともあれ、小説を書き、発表していく上で、「共感」というものは侮れない。それは、国際商取引における基軸通貨のようなものなのだ。一般読者の共感を呼び起こすようなフックが作中に備えられてさえいれば、彼らはある程度まではその作品に好意的な印象を持ってくれるし、運がよければ「おおいに共感できた」とほかの人に勧めることまでしてくれるかもしれない。

　それに比べれば、僕が作品作りにおいてこだわっているポイント（たとえば、『僕の心の埋まらない空洞』を通じて僕が読者に伝えようとしたこと）など、第二次世界大戦末期、敗色が鮮明になった大陸での日本軍が発行していた軍票ほどの価値も持たないのだろう。悲しいことだが、それが現実なのだ。

コラム　文芸出版業界の奇妙な慣行

曖昧な発注

プロの作家になってから、うっすらと気にかかっていたことがある。それは、版元が作家に小説作品を「発注」するタイミングに関わることだ。

小説の発注とは、すなわち、編集者から作品執筆の依頼がなされることである。「こういう小説を書いてください」というオファーが出され、僕がそれを受諾した段階で、発注＝受注という行為は成立している。少なくとも、社会通念に照らして考えればそうだ。ところが、どうやらその時点では、その小説をいずれ刊行することが、社内での企画会議等を通じてオーソライズされていないらしいということが、ある時点でわかってきたのだ。つまり、「あなたのその小説をわが社で刊行します」という編集者の言明は、その段階では単なる口約束にすぎないということだ。

なお、企画会議というのは、社によって形態・人員構成などに違いはあるだろうが、基本的には、営業部・販売部・宣伝部など、編集部以外の部署を交え、また役員なども同席の上で、作品刊行の是非、初版部数をはじめとする刊行の規模などについて討議し、決定が下される場である。

その企画会議を通過し、社内的にも承認が得られなければ、作品を本にすることはできないはずだ。しかし実際には、刊行する作品について会議に諮《はか》られるのは、作品が書き上がり、担当編集者や編集長が原稿に目を通してからになるケースが多いように見受けられた。これは、商慣行として考えればおかしな話だ。もしも会議で刊行が却下されたら、どうするつもりなのか。とうに発注は済んでしまっており、製品がすでに納入されてしまっているのに。

僕がそのことにしばらく気づかなかったのは、ある時期までは、僕には見えないところですべてが滞りなく進められ、気がつけば作品が本になっていたからだ。たぶん、編集部が「これを出します」と宣言した作品について、他部署や役員などによって、刊行それ自体に難色を示されたりするといったことが、それまではあまりなかったのだろう（初版部数を編集部の見立てよりも減らされるということくらいはあったにしても)。

土壇場での却下

ところが二〇一〇年代に入ったあたりから、出版業界には不穏な空気が蔓延しはじめた。そして僕はついに、注文に応じて書き上げた小説を刊行してもらえないかもしれないという局面に見舞われた。うちひとつは、朝日新聞出版の文芸誌『小説トリッパー』に連載していた『出《しゅつ》ヤマト記』(一人の少女が、自らのルーツを探って、北朝鮮を思わせる「北の共和国」に単身、潜入する物語)だ。この長篇作品を単行本化するという企画が、企画会議で却下されたというのだ。

理由は、「平山瑞穂」名義で刊行された本が売れたというデータが、(版元の如何を問わず)ほとんど存在しなかったからだ。僕に対してはすでに、連載中に支払った原稿料という投資がなされていたわけだが(「〈コラム〉逃げる編集者たち」で述べたとおり、文芸誌は、それ自体の売り上げで制作費・印刷費等をペイできるようなビジネスモデルにはなっておらず、執筆陣に支払われる原稿料などは事実上の持ち出しになっているケースが多い)、単行本化してもそれを回収できないばかりか、むしろ赤字が嵩《かさ》むばかりだと、企画会議に列席した（編集部以外の）人々は判断したのだ。『小説トリッパー』への連載は、連載終了後の単行本化を当然の前提とした話だったので、もちろん僕は、愕然とさせられた。さいわい、担当編集者が食い下がってくれて、翌月の会議に再度諮り、刊行についてのゴーサインをかろうじて勝ち取ることができたし（『出ヤマト記』は、二〇一二年四月刊行）、万が一、本にしてもらえなかったとしても、連載時に原稿料はもらっていたわけだから、まるっきりのただ働きになるというわけでもなかった。

しかし二〇一一年、角川書店から刊行される予定になっていた『3・15卒業闘争』については、事情が違っていた。こちらはほぼ書き下ろしだったにもかかわらず、刊行を前にして、それとそっくりの事態に立ち至るなりゆきとなったのだ。

そこに至るまでの経緯について触れておこう。

受賞狙いの勝負作

第6章で取り上げた『桃の向こう』がセールス的に惨敗となってから、角川の担当編集者たち（『野性時代』の担当と、書籍編集部の担当）は、僕の生き残りを賭けた起死回生の策をあれこれと練ってくれた。提案されたのは、「日本推理作家協会賞」の短編部門での受賞を狙って、『野性時代』に勝負作としての短篇小説を掲載するというプランだった。「受賞作」の名を冠すれば、単行本のセールスも格段に上がるはずだったからだ。候補作は、毎年、ある期間中に刊行された、いくつかの特定の文芸誌に掲載された作品から選ばれる。『野性時代』も、そうした文芸誌のひとつだったのである。

勝負作というのは、まず連作でいくつか短篇を執筆し、そのうち最も出来のいいものを、しかるべき時期に掲載するということを意味していた。

問題は何を書くかだが、二人の編集者は、「この際、直球の『ラス・マンチャス通信』路線の作品をお願いします」と正面から持ちかけてくれた。彼らもまた、僕の書き手としての本質はそこにあると思っており、勝負をかけるなら、僕特有の資質が最も鮮明に現れるはずのその路線で臨むべきだという考えだったのだ。作品は、日本推理作家協会賞を受賞できるかどうかにかかわらず、最終的には短篇の連作もしくは一本の長篇小説という形で書籍化してくれるということだった。

僕にしてみれば、まさに望むところといった心境だった。そこで僕は、前々から構想を温めていた、しかしなかなか実現への手《て》筈《はず》が整わなかった作品を、それに充てることにした。『ラス・マンチャス通信』も顔負けの捻《ねじ》れたファンタジー性に支えられた、不穏な物語である。

語り手の〈僕〉は中学二年生だが、彼が通う中学校のクラスには、少年少女から中年、そして老人まで、あらゆる年齢層の男女が制服を着て、生徒として席に着いている。〈僕〉自身も、実年齢がいくつなのか作中ではなかなか示されないのだが（最終的には、三〇歳前後とわかる）、その日常は、（自分よりずっと歳下の）荒っぽい「先輩」に使い走りさせられたり、女子生徒に恥ずかしいところを見られてどぎまぎしたりと、精神的には中学生そのものである。

〈僕〉はこの学校でさまざまな理不尽なできごとに見舞われるのだが、やがて彼は、自分も含めた生徒らが、永遠に卒業できない中学校で同じ日常を何年もくりかえしているだけであることにうすうす気づいていく。そんな中で接触を求めてきた、紙製のマスクを頭からすっぽりとかぶった集団は、「卒業準備委員会」を名乗り、生徒全員がこの学校を卒業できるようにするための計画に協力してほしい、と〈僕〉に「共闘」を持ちかけてくる——。

『ラス・マンチャス通信』と同様、もしかしたらそれ以上に、「あらすじ」をまとめにくい物語なのだが、僕としてはまさに本領発揮という感じで、書くに際して迷うことはほとんどなかった。ただし、受賞狙いのプランを提案されたタイミングがわりとギリギリだったこともあり、『野性時代』に掲載する候補となる短篇としては、二篇書くのがやっとだった。結果としては、物語の冒頭部分に当たる一作目が、『棺桶』というタイトルで『野性時代』に掲載された。

日本推理作家協会賞については、残念ながら受賞は逃してしまったし、候補作にも選ばれなかったのだが、少なくとも、その一歩手前のところまでは行き着いていたようだ。というのも、この短篇は、日本推理作家協会が毎年編集している推理小説年鑑『ザ・ベストミステリーズ』の二〇一一年度版に、受賞作や候補作と並んで、「ベスト12」の一篇として収録されたからだ。そもそも『棺桶』が、いわゆる推理小説としての要件を満たしているとは言いがたい作品だったことを考えれば、まあ善戦したほうだったのではないかと思う（なお、この年度の短編部門の受賞作は、深水黎一郎の『人間の尊厳と八〇〇メートル』だった）。

とはいえ、受賞できなかったということは、それを冠《かんむり》として単行本を大々的に売り出すという当初の目論見も、この時点で消滅してしまったということを意味する。その事実には落胆したが、意気消沈している暇はなかった。僕は一刻も早く、頭の中に氾濫《はんらん》する物語世界のイメージを形にしたかったのだ。僕は怒濤《どとう》の勢いで残りの部分を書き継ぎ、『棺桶』を第1章とするこの物語を、全六章構成の長篇小説『3・15卒業闘争』として完成させた。

「いい作品か」ではなく「売れる作品か」

自分としては、胸を張って打ち出せる自信作だった。あの手この手でそのエッセンスを活かそうとしては、今ひとつ成功していなかった『ラス・マンチャス通信』的世界観の再現を、今度こそ制限なしで実現できたというたしかな手応えがあった。

原稿は、二〇一一年三月末までに書き上げると宣言していたが、脱稿したのはそれよりだいぶ早く、忘れもしない三月一〇日だった。なぜ忘れないかといえば、その日、不思議な予感のようなものに衝《つ》き動かされたという事実があったからだ。

書き上がった原稿は、Ｗｏｒｄファイルの形でしっかりとＰＣに保存されていた。普通なら、それ以上原稿について心配することもないのだが、このときの僕はなぜか急に不安に駆られ、ファイルをわざわざＵＳＢメモリにコピーして、バックアップを取ったのである。もしも今日・明日の間になにか天変地異でも起きて、ＰＣの上になにかが落ちてきて破壊されてしまうようなことがあったとしたら、泣くに泣けないと思ったのだ。

東日本大震災が発生したのは、その翌日のことだ。転倒防止処置を施していなかった僕の書斎の本棚のひとつはみごとに倒れ、何百冊という本がぶちまけられた。その書物の山になかば埋もれていた僕のＭａｃＢｏｏｋは、文字どおり破壊されるということはなかったものの、キーボードのキーのいくつかが弾け飛んでいた。どうも、本棚の上に無造作に積んであった重たい段ボール箱が落下し、その角が直撃したらしかった。「虫の知らせ」というのは本当にあるのだな、と思ったことを覚えている。

ともあれ、数日後、微調整を経て編集者に原稿ファイルを託してからは、約束した期日も無事に守ったことだし、作品にも自信があるしで安心しきっていた。書籍編集部の担当者も絶賛してくれたのだが、しばらくしたらその担当者は、「企画会議に通らなかった」と僕に報告してきた。本にはできないということだ。『棺桶』

部分以外は書き下ろしだから、原稿料すらもらっていない。これで本にしてもらえず、印税も手にすることができなかったら、この数ヶ月の間の僕の労力はどうなってしまうのか。

自分に非があるとは思えなかった。僕は編集者たちから、「『ラス・マンチャス通信』路線の作品を書いてほしい」と言われ（そういうスペックの製品の発注を受け）、指示されたスペックどおりに、しかも約束した期日までに製品を仕上げて、納入しただけだ。その段階で書籍化を拒まれるというのは、「注文どおりに仕上がってはいるものの、この製品はわが社では売り物にならないから、買い取ることはできない」と製品を突きかえされたも同じではないか。そんな理不尽な話があっていいものだろうか——。

もちろん、担当も平身低頭していた。会議の場でも、（朝日新聞出版の担当と同様）がんばってくれたらしく、一ヶ月の猶予をもらって、その間に、この本を刊行することのメリットとみなせるデータを集め、翌月の会議にもう一度諮ってみるという話だった。

そんなデータを、どれだけ集められたのかはわからない。たぶん、説得力のあるデータなどないに等しかっただろう。それ以前に、この作品の刊行にＮＯを突きつけた角川の役員や営業サイドの人々は、これは断言してもいいが、誰一人として、僕の原稿になど目を通していなかったと思う。

問題なのは、それがいい作品かどうかではない、「売れる作品」かどうか、ただそれだけなのだ。彼らは、基本的に数字しか見ていない。「平山瑞穂という作家が過去に出した本はどれも売れていないから、うちで出してもまず売れないだろう。そんなリスクをわざわざ背負う必要はない」――それが彼らのロジックのすべてなのだ。

それを一概に責めるつもりはない。くどいようだが、僕はサラリーマン生活も長かったので、彼らがそういうロジックを駆使する理由も理解できるし、自分も同じ立場なら同じ判断を下すのではないかと思う。だが、現場ですでに発注がなされ、注文どおりに仕上げられ、納期も守った上で納入された製品について買い取りを拒否するのは、商慣行として絶対におかしいということだけは言える。

あまりに少ない初版部数

翌月、担当が提示したデータが具体的にはどういう内容だったのか、役員らがそれにどれだけ本当に納得したのかは不明だが、刊行は首の皮一枚といったところで認められた。ただし、初版部数は三〇〇〇部まで削られた。三〇〇〇部といえば、純文学の書籍の初版部数を思わせる数だ。僕は当初、初版では六〇〇〇部から七〇〇〇部くらいは刷ってもらえていて、それが次第に五〇〇〇部、四〇〇〇部と減らされていったのだが、三〇〇〇部という数には、さすがにかなり打ちひしがれた。

おそらく彼らも、編集者が提示したデータに納得したというよりは、「まあ現に、注文に応じて書かれたという完成原稿が存在してしまっているのでは、（経営判断としては不可でも）道義的にいって出さないというわけにもいかないだろう」という考えから、しぶしぶ刊行を許したといったところだったのではないかと想像する。しかし赤字の額はできるだけ小さくしたいから、初版部数を可能なかぎり減らしたのだ（初版部数が少なければ少ないほど、その本は、連日、山のように出版される新刊本の中に埋没してしまい、いっそう売れなくなるのが道理なのだが）。

こうして『3・15卒業闘争』は、二〇一一年一一月に単行本として刊行された。

かなりエッジの効いた風変わりな作品だったので、仮に初版で六〇〇〇部刷られていたとしても結局は売れなかったかもしれないが、三〇〇〇部では注目を集めるのが本当にむずかしく、セールスは例のごとく惨憺たるものだった。ただ、少なくとも『ラス・マンチャス通信』を歓迎してくれていた層にはこの作品もおおいに支持されたし、僕自身は、今でもこの作品を傑作だと自分では信じている（たとえあらかたの読者に受け入れられなくても）。

なお、第6章で取り上げた『桃の向こう』とは違って、同じ角川書店でも、この作品はかろうじて電子化はされたので、現在でも入手することができる。

あらかじめ塞がれた道

いずれにしても、この業界特有の、発注のタイミングをめぐる道理の通らない慣行は、本来なら、可及的すみやかに改めるべきものだと思っていた。役員や営業サイドの人々は、どうせ数字しか見ていないのだから、その作家の作品を刊行できるかどうかは、発注の前の時点で答えが出ているはずだ。つまり、まず企画会議で刊行の是非について結論を出してから、初めて発注をかけるという順序にすべきなのだ。ただ、その理屈を突きつめていくと、作家にとっては非常に具合の悪いことになってしまう。

実はこの問題については、七、八年前にブログ（「平山瑞穂の白いシミ通信」）でも論じているのだが、そのとき僕は、以下のように綴っている。

> 本来なら、「こういう不可解な慣行はすぐにでも改めてください」と出版業界全体に対して声高に訴えたいところだ。しかし実のところ、それをためらう気持ちも僕にはある。
>
> もしもその「本来の順序」が貫徹されるようになった場合、何が発生するかというと、「現時点で売れていない作家の作品を出版しようという企画は、ことごとく水際で却下される」という事態だ。そうなったら、僕のように「客観的に見てプラスの材料」にきわめて乏しい作家は、へたをすれば永遠に本を出せなくなってしまうかもしれない。

その後、事態はさらに悪化して、現在の僕はすでに、ほぼ右記ブログで予見したとおりの状態に置かれていると言っていい。文芸出版業界自体も、おそらく、ある時点で、この発注システムの問題点に気づいたのだろう。ある時期以降、たとえばこちらから「新作を書かせてもらえないか」と編集者に持ちかけても、その場では確答せず、先に企画会議に諮って結果が出てから、初めて僕にゴーサインを出すようになってきた。

もちろん、ゴーサインが出ない場合もある。最近は、ほぼ出ない。

社会通念に反する慣行は結果として是正されたわけで、そのこと自体は喜ぶべきなのかもしれないが、僕のように、あらかじめ道を塞がれてしまった身にしてみれば、喜ぶどころではない。率直にいって、お先はまっ暗だ。

そうして「それまでのデータから判断して売れないと見込まれる作品（作家）」をやみくもに、機械的に排除していくやり方は、文芸の世界から多様性を奪っていくことにつながる。多様性を失った種は、種として脆弱《ぜいじやく》になり、滅びに向かっていくだけだと思うのだが、僕がここでこんなことを訴えても、負け犬の遠吠えにしかならないのだろう。

あとがき

こうして振りかえってみると、よくもまあこれだけ懲りずに失敗という失敗をくりかえしてきたものだとわれながらあきれてしまう。僕の小説家としての一八年間は、ほぼなんらかの失敗と、それを挽回《ばんかい》しようとするあがき（それ自体が次なる失敗に結びついたりする）だけで成り立っていると言っても過言ではないほどだ。

もちろん、うまくいったことが何もなかったわけではない。この本は、自分が犯した失敗をモチーフとしたものだから、思わしくない結果を招来したケースばかりをおのずと想起することとなり、ひとつのできごとを思い出しているうちに、「そういえばあれもあった、あれもそうだ」と「悪い例」ばかりが数珠《じゅず》つなぎになって脳内に浮上してきたわけだ。それをかき集めたのが、本書なのである。

それにしても僕は、あまりにもたびたびしくじっている。それをこうしておおむね時系列に沿って一望のもとに並べてみると、自分のことを救いようのないバカなのではないかと思いたくもなってくる。だが、ひとつだけ自己弁護させてほしい。

そのときどきの僕は、常に必死だったのだ。誠心誠意、最善の道を選ぼうと無我夢中だった。一介のサラリーマンでありながら、流儀も勝手もわからない文芸出版の世界に飛び込んできて、思いもかけぬことの連続に翻弄されながら、それでもどうにかして生き延びる道を探ろうとしてきた。そのすべてがギリギリの状況の中でなされた選択であり、今思いかえしてこそ、「ああもできた、こうもできた」と思えるだけで、そのときの僕には、そうする以外にどうしようもなかったのである。

本編中ではほとんど言及していないが、二〇一一年一月末をもって、それまで勤めていた会社を退職し、専業作家となったことも、追い込まれた上での苦渋の選択以外のなにものでもなかった。

僕が二〇〇四年に日本ファンタジーノベル大賞を受賞し、プロの作家としてデビューした時点から、自身もそこそこの年収があった妻は、「会社を辞めて専業になってもいい」と僕に言ってくれていたのだが、むしろ僕のほうが、今後もまちがいなく作家としてやっていけるという保障もないまま定期収入の手段を擲《なげう》つわけにはいかないと言い張って、その提案を却下したのだ。二〇〇八年前後には、作家としての年収が、会社員としての年収と並ぶか、ともすれば少し超えるくらいにはなっていたが、それでも会社を辞める気にはなれなかった。

せめて一点だけでも大きなヒット作を出して、「平山瑞穂」の知名度やネームバリューがある水準まで達しないことには、先々のことが心配で、辞めるに辞められなかったのである。

そうして僕は、激流の中で橋桁《はしげた》にしがみつくようにして、兼業を続けていた。退勤後に作家としての仕事をこなすために、連日連夜、三時間ほどしか睡眠を取らないような生活を続けて、体を壊しかけたこともある。しかし、なかなか事態は好転せず、僕は終始、焦りのただ中に置かれていた。

折あしく出版不況の深刻化も重なり、気持ちとしてはますます会社を辞めがたく思うようになっていたのだが、二〇一〇年の秋、勤務先の社内で組織改編が行なわれ、他社から引き抜かれてきたやり手の上司が、僕の所属部署のトップに就く形になった。それに伴って、僕自身の立場や業務内容も、大きく変わる雲行きとなっていった。

僕が勤務していた会社は、僕の兼業にも寛容で、それまでは、会社員としての仕事と作家としてのそれに、自分のペースで力を上手に振り分けることができていたのだが、今後はそれもむずかしくなりそうだった。年齢的にも四〇の坂を越え、体力にも自信がなくなってきていた。

　作家としての自分の未来が安泰だと思っていたわけではまったくない。それでも、自分の乏しい体力に照らして、どちらかを選ばなければならないのだとしたら、作家であることを断念するという道は考えられなかった。こうして僕は、組織改変に伴う昇進を告げられたわずか二週間後に、直属の上司に辞意を告げるなりゆきとなったのである（申し訳ないことに、上司はかなりショックを受け、しばし言葉を失っていた）。「満を持して」などという心境にはほど遠く、胸の内は不安でいっぱいだった。

　そしてその後、僕の年収は、（第3章で述べた、新潮文庫『あの日の僕らにさよなら』の例外的ヒットで一時的に懐が潤うというご祝儀的な一幕もあったものの）坂道を転げ落ちるように下り坂になっていった。妻の巧みな采配により、僕が会社を辞めるのと相前後して、マンションのローンも繰り上げ返済を駆使することで完済していたし、わが家には子どももいなかったからよかったようなものの、そうでなければ、とうに生活が破綻《はたん》していただろう。

　それでも、会社を辞めたことを後悔はしていない。どちらかを選べと今言われても、やはり僕は、作家として生きていく道を選ぶだろう。作家として一本立ちすることは、十字架を背負って生きていくようなものなのだと思っている。どのみち今や、好むと好まざるとにかかわらず、僕はこの道を歩んでいくしかないのだ。

小説家になりたいと願っている人にとっては意気が殺《そ》がれるようなことばかり、山のように並べ立ててしまったかもしれない。しかし、くりかえすが、これらの失敗談はあくまで、平山瑞穂という一個人が経験したことにすぎない。最初からもっと要領よく立ちまわって、随所に設けられた落とし穴に足を取られずに突き進んでいける人もいるだろう。それに、僕が小説家として失敗した最大の原因は、もしかしたら、エンタメ小説家としての資質にそもそも問題があったからにすぎないのかもしれないのだ。

第1章で述べたとおり、僕はエンタメ文芸の流儀にもなじみきれなかった一方、純文学の世界からも受け入れられなかった（アマチュアとして新人文学賞に応募していた時代にも、後日、転身を図った際にも）。僕はもともとそういう、きわめてどっちつかずの立ち位置にいる書き手であり、だからどちらにも自分の居場所を見出せなかったという、ただそれだけのことなのかもしれない。

あるいは、第5章や第7章で述べたように、僕にはエンタメ文芸の読者が何を求めているのかを摑みそこねていた面も少なからずあった。もっと読者と視線や感覚を共有できる人——あるいは、心底では共有できていないとしても、読者が求めるコンテンツをもっと戦略的に打ち出していける人もたくさんいるだろう。

　だから、小説家を志す人は、むやみに気を落とさずに、その志を大事に育んでほしい。そして、晴れてプロの小説家になれたとしたら、つまずいたり、迷ったりした折々に、「そういえば平山瑞穂があんな経験を明かして、あんな助言をしていたな」と思い出してくれればそれでいい。僕が披露した数々の失敗談の中には、必ずなにかしら、参考になる点が含まれているはずだ。

　なお、本書を書き進める中では、僕を担当してくれた特定の編集者などに、どうしても具体的に言及せざるをえない局面が多々あった。現在は没交渉になっているとしても、いっときはおおいにお世話になった恩義ある人々を、こんな形で槍玉に挙げるのはどうなのかというためらいは当然あったし、そのうちの一部は、僕自身にそのつもりはなくても、図らずもある種の「告発」になってしまっている面もなくはないと思う。

　しかし言うまでもなく、彼ら・彼女らの置かれた一介の会社員としての立場や、それゆえにそうせざるをえなかったといったそのときどきの事情については、僕は十分に理解しているつもりだし、彼ら・彼女らを責めるつもりも僕にはない。そのことは、あらためて強調しておきたい（何人かについては、正直、「あれはないだろ」と今でも思ってはいるが）。

小説家としてどん詰まりの状況に置かれたこの僕が、今後、「はじめに」で述べたようなゲリラ的活動を通じて、どれだけ命をつなぐことができるのかは、今のところまったく見えない。それでも僕はまだ、あきらめていない。あきらめてしまったら、その時点ですべてが終わりなのだ。僕はそうして一三年間の孤独な応募生活を生き抜き、プロの作家になったのだ。一〇年やそこらの苦境など、今さら屁でもない。

その言葉を、小説家になりたいと願うすべての人々に贈りたい。

二〇二二年一二月一四日

平山瑞穂

平山瑞穂（ひらやまみずほ）

小説家。1968年、東京都生まれ。立教大学社会学部卒業。2004年に『ラス・マンチャス通信』（角川文庫）が第16回日本ファンタジーノベル大賞を受賞してデビュー。小説には、『忘れないと誓ったぼくがいた』（新潮文庫）、『あの日の僕らにさよなら』（新潮文庫）、『シュガーな俺』（世界文化社）、『プロトコル』（実業之日本社文庫）、『マザー』（小学館文庫）、『四月、不浄の塔の下で二人は』（中央公論新社）、『午前四時の殺意』（幻冬舎文庫）、『ドクダミと桜』（新潮文庫）、『さもなくば黙れ』（論創社）など多数。評論に『愛ゆえの反ハルキスト宣言』（皓星社）。最新刊は『近くて遠いままの国』（論創社）。

エンタメ小説《しょうせつ》家《か》の失敗学《しっぱいがく》 「売《う》れなければ終《お》わり」の修羅《しゅら》の道《みち》

2023年1月30日初版1刷発行

著　者 ―― 平山瑞穂
発行者 ―― 三宅貴久
装　幀 ―― アラン・チャン
印刷所 ―― 堀内印刷
製本所 ―― 国宝社
発行所 ―― 株式会社光文社
東京都文京区音羽1-16-6（〒112-8011）
https://www.kobunsha.com/
電　話 ―― 編集部03（5395）8289　書籍販売部03（5395）8116
業務部03（5395）8125
メール ―― sinsyo@kobunsha.com

© Mizuho Hirayama 2023　Printed in Japan　ISBN 978-4-334-04646-0

光文社新書

1226

観光立国・日本
ポストコロナ時代の戦略

箱谷真司

外国人訪日客99％減――。インバウンド受け入れの本格再開後、どのように観光産業を再生するか。日本各地を巡りＤＸやＳＤＧｓ、観光公害対策など、現場の挑戦と葛藤を追う。

978-4-334-04633-0

1227

新地方論
都市と地方の間で考える

小松理虔

「都市」と「地方」。二項対立ではない視点から改めて地方を10のテーマで考えたときに、見えてくるものとは何か。福島県いわき市を拠点に、多彩な活動を続ける著者の思考と実践の記録。

978-4-334-04634-7

1228

不安型愛着スタイル
他人の顔色に支配される人々

岡田尊司

自己肯定感が低い、気を遣いすぎて疲れてしまう、感覚が敏感で体調を崩しやすい……生きづらさの理由、そして克服や治療法は？　職場や家庭での周囲の対応の仕方も事例を交え詳述。

978-4-334-04635-4

1229

広告の仕事
広告と社会、希望について

杉山恒太郎

広告から〝公告〟へ。日本の広告界のレジェンドが、自らのクリエイティブを振り返りながら、広告の未来を熱く鋭く語る。山口周氏とのロング対談を収録。解説・河尻亨一氏。

978-4-334-04636-1

1230

「美食地質学」入門
和食と日本列島の素敵な関係

巽好幸

蕎麦を育む火山、出汁を支える山脈、日本酒と地球の大変動――。多彩な和食が生まれた理由は日本列島にある⁉︎　地下深くで密接に結びつく二つの意外な関係をマグマ学者が丁寧に紐解く。

978-4-334-04637-8

光文社新書

1231
時を超える美術
「グローカル・アート」の旅
新見隆

ローカル（地域、身近なもの）を大事にしながらグローバル（世界のありかた）につながる――。そんな「グローカル」な精神を宿した美術作品や芸術家に触れた「芸術風土記」エッセイ。

978-4-334-04638-5

1232
Ｗｅｂ３とは何か
ＮＦＴ、ブロックチェーン、メタバース
岡嶋裕史

「巨大ＩＴ企業の支配から個人が解放されたインフラ」で、「要素技術としてブロックチェーン、なかでもＮＦＴあたりを重視する」というＷｅｂ３の全体像を、批判的な見方を含め解説。

978-4-334-04639-2

1233
古典と日本人
「古典的公共圏」の栄光と没落
前田雅之

高等教育の古文・漢文不要論が唱えられる今、私たちに古典は本当に必要なのか。日本において古典が成立した歴史を辿りながら、そもそも「古典」とは何かということを考える。

978-4-334-04640-8

1234
小学校受験
現代日本の「教育する家族」
望月由起

拡大・過熱・多様化――誰が、なぜ、どのように受験しているのか。入学後の環境は？　教育学者が小学校受験の実際や問題点、評価すべき点などを、経験者の声も交え具体的・リアルに報告。

978-4-334-04641-5

1235
アニメ療法《セラピー》
心をケアするエンターテインメント
パントー・フランチェスコ

日本のポップカルチャーの力で、心を治癒することはできるか。イタリア出身のオタク精神科医が精神医学や心理学の知見を物語療法と接続し、新しい「アニメ療法《セラピー》」を構想する。

978-4-334-04642-2

1236

安い・美味しい・簡単
実践 健康食

岩田健太郎

「近所のスーパーの特売品で自炊」に健康が詰まってる…感染症医でファイナンシャル・プランナーの資格も持つ著者と考える、お金をかけず、持続可能でより豊かに生きるための食事術。

978-4-334-04643-9

1237

社会を変えるスタートアップ

「就労困難者ゼロ社会」の実現

小野貴也

全国１５００万人の「就労困難者」に適切な仕事を提供し、労働力減少を補う。社会課題を解決するスタートアップが見据える日本経済の未来像と、その先にあるインクルーシブ社会とは。

978-4-334-04644-6

1238

教育大国シンガポール

日本は何を学べるか

中野円佳

激しい教育競争、点数化する習い事——煽られ、葛藤する母親達、疲弊する子ども達。教育社会学研究者・ジャーナリストが現地の教育システムの実態を、インタビュー調査を交え報告。

978-4-334-04645-3

1239

エンタメ小説家の失敗学

「売れなければ終わり」の修羅の道

平山瑞穂

華々しいデビュー、10万部超えのヒット、そして映画化——。人気作家も目前だった小説家が犯した痛恨の「失敗」とは？出版界の裏事情と赤裸々な告白に満ちた自虐的反省の書。

978-4-334-04646-0

1240

「おふくろの味」幻想

誰が郷愁の味をつくったのか

湯澤規子

一体「おふくろの味」とは何を指しているのか。なぜそれは時に女性たちをいらだたせるのか。社会と時代を丹念に読み解き、「おふくろの味」が誕生した経緯とその正体を探る。

978-4-334-04647-7

光文社新書

1086
伝え方は「順番」がすべて
分単位のコミュニケーションが心を動かす
小沼竜太

圧倒的人気を誇るスマホ向けRPG「Fate/Grand Order」（通称FGO）ほか、数々の人気ゲームのプロモーションに携わる〝ゲームの宣伝屋〟が初めて明かす「伝え方」の極意。

978-4-334-04493-0

1087
恋愛学で読みとく　文豪の恋
森川友義

名だたる文豪たちが小説に描いた恋ははたして妥当なものなのか。恋愛学を提唱する著者が科学的に分析し、考察する。従来の文学研究にとらわれない、知的なエンターテインメント！

978-4-334-04494-7

1088
正義を振りかざす「極端な人」の正体
山口真一

SNSでの誹謗中傷、自粛警察、不謹慎狩り、悪質クレーマー――奴らは何者か？「炎上はマスメディアが生み出す」「SNSは世論を反映しない」等、データ分析から分かった真実。

978-4-334-04495-4

1089
太田和彦のふらり旅　新・居酒屋百選
名酒放浪編
太田和彦

BS11の人気番組が1冊に！　北は札幌から南は五島まで日本全国19の街の65軒を紹介。本書片手に旅するも良し、読んで思いを馳せるのもまた良し。写真満載のオールカラー版。

978-4-334-04496-1

1090
宇宙に行くことは地球を知ること
「宇宙新時代」を生きる
野口聡一　矢野顕子
取材・文　林公代

誰もが宇宙に行ける日が近づいている――。民間による「宇宙旅行時代の幕開け」という歴史的転換点を迎えた今、宇宙飛行士とミュージシャンが宇宙体験からスペースXまでを語る。

978-4-334-04497-8